Nuevos cuentos contados

MORE TWICE–TOLD TALES FOR BEGINNERS

WITH EXERCISES DESIGNED TO PROMOTE
DIRECT READING FOR ENJOYMENT, DE-
VELOP A BASIC VOCABULARY, AND EMPHA-
SIZE A CHOICE LIST OF EVERYDAY IDIOMS

BY

JOHN M. PITTARO

WITH ILLUSTRATIONS BY
RAFAEL D. PALACIOS

i

D. C. HEATH AND COMPANY
Lexington, Massachusetts   Toronto   London

PREFACE

Nuevos cuentos contados or New Twice-Told Tales, a reader consisting of easy and popular stories for beginners, is an alternate volume to Cuentos contados. It has the same double purpose: (1) to introduce beginners to a series of interesting stories compatible with their age and interests; (2) to stimulate and create an appetite for more reading in Spanish by offering them a pleasant panorama of reading matter. To round out the attractive features of the collection, every story has an intriguing plot, an interesting medium of narrative, and a total absence of description.

Reading with enjoyment serves the very important purpose of retaining the student's interest throughout and creates a natural desire for more reading experience. The short story is a vehicle for pleasant entertainment. But a serviceable collection of stories cannot be all entertainment: its characters must speak the language easily and fluently, must uphold ideals of service, honor, love, and duty, and must inspire admiration for all that is truly noble. *Nuevos cuentos contados* has all these characteristics. The stories in the collection were voted the favorites among a large number used in the classroom.

It has been found by actual experimentation that the best incentive for the gifted student, the student of average ability, or even the plodder, is to offer him an attractive compilation of stories in which real people are actors; a miniature mirror of the life with which young readers are acquainted. The students who identify themselves with the characters in the stories become active participants in the problems which are presented for solution. If the material excites their curiosity and interest, the desire for more reading will inevitably follow. Many of the stories in *Nuevos cuentos contados* are concerned with everyday experiences with which the student is familiar. This is especially desirable at the present time when so many outside currents detract from the placid atmosphere of the classroom.

If the story material stopped at this point, it would be reasonably certain that the student would do additional reading on his own account, but an added incentive is supplied by the book because it covers a wide scope of subject matter. The contents of the volume touch on many interrelated aspects which give a true picture of Hispanic American people, their institutions, ideals, customs, and at times, even their prejudices. This fabric of rich local color, the varying moods and intriguing plots form an ideal pattern of reading experience for the beginner.

This reader is not progressively difficult, but it is written on a plane that permits the student to do a generous amount of easy reading with enjoyment, rather than to burden him with an ever-increasing degree of difficulty which would tend to produce a deadening effect and promote dawdling. Experience has proved that at the beginning of reading the material should be simple in order to give the student the maximum of reading practice free from grammatical and vocabulary difficulties. This is particularly important insofar as it develops a feeling of satisfaction and accomplishment.

While it is true that some of the stories have already become favorites because of their intrinsic value and human interest, there will also be found an appreciable number of new stories, popular in the countries of Spanish speech, and offered to the American student for the first time. A combination of the old and the new will please those teachers who prefer familiar material with a novel element. Although the outlines have been borrowed from Spanish sources, including such authors as Antonio de Trueba, Luis Taboada, Eusebio Blasco, Sara Insúa, José Zahonero, Sinesio Delgado, etc., each story has been rewritten several times in accordance with classroom exigencies. In all of them one aim has remained uppermost: to select a good story and couch it in words well within the vocabulary scope of the beginner in Spanish.

To facilitate early use of *Nuevos cuentos contados,* the first eight stories are written in the present tense. A further aid to encourage reading from the start of the course is that the shorter stories, with a very limited stock of words, were chosen advisedly for the beginning of the collection. This was done to promote thorough assimilation of vocabulary and idiom.

The exercises in this book will help to lay a solid foundation for acquiring a store of useful words. This is accomplished by limiting the vocabulary to the first 1000 words found in *A Graded Spanish Word Book,* compiled by Milton A. Buchanan, emphasizing synonyms, opposites, and cognates, without forgetting the study of idioms. The exercises on comprehension also facilitate the acquisition of a basic and active vocabulary and a selective list of idioms of high frequency.

It is indeed a pleasure to express my gratitude to Dr. José Padín, Modern Language Editor of D. C. Heath and Company, for suggesting valuable improvements in the manuscript. Thanks are also due to the various members of the Editorial Staff for their lucid and practical suggestions. For the dynamic drawings which do so much to make the stories live, I wish to express my appreciation to Mr. Rafael D. Palacios.

J. M. P.

Fordham University

CONTENTS

NUEVOS CUENTOS CONTADOS

¡GRACIAS POR SU VISITA!

En un teatro de Madrid, hermosa capital de España, están representando una pieza. Es la mejor del gran autor dramático español José Echegaray. El teatro está lleno de gente. Un señor muy distinguido llega a la taquilla.[1]

— Déme usted un pase para uno de los mejores asientos — dice al vendedor de billetes, con tono de autoridad.

— Yo vendo billetes, señor, — contesta éste — pero no doy pases sin una buena razón.

— Pues, usted tiene que darme [a] uno a mí — insiste el señor.

— ¿ A usted, por qué? — replica el vendedor.

El señor contesta con convicción:

— Porque yo soy José Echegaray, el autor de la obra que representan. ¿ No cree usted que es buena la razón?

— ¡ Excelente! Perdone usted, señor Echegaray.

No vemos casi nunca [b] a los autores de las piezas representadas en este teatro. Aquí tiene usted [2] un pase para un asiento de primera fila. Muchas gracias por su visita y venga a vernos pronto otra vez.[c]

[1] *box office*   [2] *Here is*

CUESTIONARIO

1. ¿En dónde está el teatro?   2. ¿Qué representan allí?
3. ¿Quién es el autor?   4. ¿De qué está lleno el teatro?
5. ¿Quién llega a la taquilla?   6. ¿Qué dice al vendedor?
7. ¿Cuándo da pases éste?   8. ¿Quién es el señor?   9. ¿Qué da el vendedor al autor?

VOCABULARY

el asiento *seat*	porque *because*
el billete *ticket*	¿por qué? *why?*
bueno, –a *good*	pronto *soon*
contestar *to answer*	la razón *reason*
España f. *Spain*	replicar *to reply*
la fila *row*	el señor *gentleman*
la gente *people*	el vendedor *vender*
la obra *work*	vender *to sell*
la pieza *play*	venir *to come*

COGNATES

What English words and meanings do you recognize from the following?

el autor	distinguido, –a	el pase	el teatro
la autoridad	excelente	perdonar	el tono
la convicción	insistir	representar	la visita

OPPOSITES

siempre	nunca	vender	comprar
grande	pequeño	bueno	malo
lleno	vacío	contestar	preguntar

SYNONYMS

la pieza	la obra	pero	mas
el autor	el escritor	el tono	el acento
contestar	responder	el señor	el caballero

IDIOMS

(a) tener que + inf. *to have to + inf.*
(b) casi nunca *very seldom, hardly ever*
(c) otra vez *again*

EJERCICIO DE COMPRENSIÓN

Complete the following sentences with the proper words:

1. Representan una pieza en ——.
2. El teatro está lleno de ——.
3. Un señor llega ——.
4. Da un pase para ——.
5. El vendedor de billetes da ——.
6. El señor —— con convicción.
7. El señor es —— de la obra.
8. Es una excelente razón para ——.
9. No vemos siempre al autor de ——.
10. El pase es para la ——.

a. contesta
b. buena razón
c. Madrid
d. al teatro
e. la obra
f. un asiento
g. el autor
h. gente
i. primera fila
j. dar un pase
k. billetes
l. pases

ESTUDIO DE PALABRAS

I. Arrange the following words in pairs with like meanings:

1. pieza
   autor
   contestar
   pero
   tono
   señor

2. responder
   caballero
   acento
   obra
   escritor
   mas

II. Arrange the following words in pairs with opposite meanings:

1. siempre
   grande
   lleno
   vender
   bueno
   contestar

2. malo
   nunca
   preguntar
   pequeño
   vacío
   comprar

III. Tell in English what is meant by each of the following expressions:

1. Llega a Madrid. 2. Tiene que dar un pase. 3. Aquí tiene usted el billete. 4. Casi nunca ven al autor. 5. El teatro está lleno de gente. 6. El señor visita el teatro otra vez.

EN SANTA PAZ Y ARMONÍA

Es invierno y hace mucho frío.[a] Dos ancianas suben a un tranvía.[1] Se sientan cerca de una ventana. Una de ellas se levanta de su asiento, abre la ventana y vuelve a sentarse.[b] La otra se levanta furiosa, cierra la ventana con energía y se sienta otra vez.

La primera anciana: —¡Señor cobrador![2] ¡Abra usted la ventana! ¡No quiero morir por falta de aire!

La segunda anciana: —¡Señor cobrador! ¡No abra usted la ventana! ¡Tampoco quiero morir yo de una pulmonía![3]

El pobre cobrador no sabe qué hacer. Quiere complacer a las dos damas. Quiere evitar dos muertes. Pero eso es imposible: una quiere la ventana cerrada, la otra la quiere abierta. ¿Cómo resolver un problema tan difícil?

Mientras el cobrador piensa en[c] qué debe hacer,

las dos mujeres empiezan una discusión en alta voz.[d] El ruido molesta a todos, se oye en todo el [4] tranvía.

— ¡ Cobrador, esto no puede continuar así! Debemos hacer algo — grita un hombre.

— ¿ Qué puedo hacer, señor ? — pregunta el pobre cobrador, buscando un buen consejo para resolver el problema.

— Abra usted la ventana primero y así se muere de pulmonía una de estas señoras. Después cierre usted la ventana y la otra se muere por falta de aire. Muertas las dos,[5] puede continuar el tranvía en santa paz y armonía.

---

[1] street car   [3] pneumonia   [5] With the two dead
[2] Conductor   [4] the whole

CUESTIONARIO

1. ¿ Cuándo hace frío ?   2. ¿ Quiénes suben al tranvía ?
3. ¿ Dónde se sientan las dos damas ?   4. ¿ Qué dice la primera anciana ?   5. ¿ Qué dice la segunda ?   6. ¿ Qué quiere evitar el cobrador ?   7. ¿ Qué empiezan las dos mujeres ?   8. ¿ Qué grita un señor ?   9. ¿ Qué debe hacer el cobrador primero ?
10. ¿ Qué debe hacer después ?   11. ¿ Cómo puede continuar entonces el tranvía ?

VOCABULARY

abrir *to open*   complacer *to please*
la anciana *old lady*   el consejo *advice*
cerca de *near*   difícil *difficult*
cerrar *to close*   evitar *to avoid*

la falta *lack*	morir(se) *to die*
el invierno *winter*	la paz *peace*
levantarse *to get up*	sentarse *to sit down*

COGNATES

What English words and meanings do you recognize from the following?

el aire	la dama	furioso, –a	mucho
la armonía	la discusión	imposible	el problema
continuar	la energía	molestar	resolver

OPPOSITES

subir	bajar	morir	nacer
cerca de	lejos de	difícil	fácil
sentarse	levantarse	alto	bajo
abrir	cerrar	después	antes
primero	último	empezar	acabar

SYNONYMS

la energía	la fuerza	empezar	principiar
querer	desear	oír	escuchar
la dama	la señora	después	luego
resolver	decidir	continuar	seguir

IDIOMS

(a) hace (mucho) frío *it is (very) cold*
(b) volver a + inf. *to do (something) again*
(c) pensar en *to think of*
(d) en alta voz *out loud*

EJERCICIO DE COMPRENSIÓN

Tell whether these statements, based on the story, are true or false:

1. Es invierno y no hace frío.
2. Dos señoras suben al tranvía.
3. Se sientan cerca de una ventana.
4. El pobre cobrador no sabe qué hacer.
5. El ruido de la discusión molesta a todos.
6. El cobrador y el señor empiezan una discusión.
7. Una de las damas se muere de frío.
8. El cobrador cierra la ventana.
9. No puede resolver el problema.
10. El señor le da un buen consejo.

ESTUDIO DE PALABRAS

I. Arrange the following words in pairs with like meanings:

1.	2.
energía	decidir
querer	principiar
dama	escuchar
resolver	fuerza
empezar	señora
oír	desear
después	seguir
continuar	luego

II. What is the meaning of these words in English?

el invierno	la muerte
abierto, –a	el tranvía
difícil	después
la ventana	deber
cerrado, –a	algo

III. Arrange the following words in pairs with opposite meanings:

1. subir	2. bajo
cerca de	levantarse
sentarse	acabar
abrir	nacer
primero	fácil
morir	antes
difícil	último
alto	bajar
después	cerrar
empezar	lejos de

IV. The following idiomatic expressions occur in the story. What do they mean in English?

1. Hace mucho frío. 2. Piensa en la discusión. 3. Volvemos a sentarnos. 4. Las señoras hablan en alta voz. 5. Un señor grita otra vez. 6. Muertas las dos, continúa el tranvía.

ES MEJOR PARECER TONTO
QUE SERLO

ROQUE tiene quince años.[a] Es el tonto de su pueblo. Todo el mundo[b] se divierte con él. Le dan bromas[1] inofensivas. Varias veces al día[2] le hacen escoger[c] entre una moneda de diez centavos y otra
5 de cinco.

— ¿ Cuál de las dos quiere usted, Roque? — le preguntan.

— ¡ La más grande ! — contesta él.

La escena siempre atrae un gran público. Todos[d]
10 quieren ver lo que[3] hace Roque. Quieren saber cuál de las dos monedas escoge. Cuando toma la moneda de cinco centavos todos se ríen de[e] él. Todos están seguros de que es un tonto completo.

Cierta tarde una señora observa la escena. Como
15 siempre,[4] Roque toma la moneda de cinco centavos. Cuando desaparece el público, y el muchacho queda solo, la dama lo llama y le pregunta:

— Dígame, Roque, ¿ no sabe usted la diferencia entre una moneda de cinco centavos y una de diez? ¿ No sabe usted que la de [5] diez vale más, aunque es más pequeña?

— ¡ Por supuesto que [f] lo sé! Pero, si yo escojo la moneda de diez centavos comprenden todos que no soy tonto, y no gano más dinero. Estamos en tiempos muy malos, señora. Y es mejor parecer tonto y ganar dinero que ser inteligente y perderlo.

[1] dar bromas a *to play jokes on*   [3] *what = that which*   [5] *the one of*
[2] *a day*   [4] *As usual*

CUESTIONARIO

1. ¿ Cuántos años tiene Roque?   2. ¿ Qué bromas le dan?
3. ¿ Cuál de las dos monedas escoge siempre?   4. ¿ Cuándo se ríen de él?   5. ¿ De qué están todos seguros?   6. ¿ Qué observa la señora?   7. ¿ Sabe Roque la diferencia entre las dos monedas?   8. ¿ Es Roque tonto o no?

VOCABULARY

atraer *to attract*
desaparecer *to disappear*
divertirse *to enjoy oneself*
entre *between*
escoger *to choose*
la moneda *coin*

el pueblo *village*
seguro, –a *sure*
solo, –a *alone*
la tarde *afternoon*
el tonto *fool*
la vez (*pl.* veces) *time*

COGNATES

What English words and meanings do you recognize from the words at the top of page 14?

completo, –a   la escena   inteligente
la diferencia   inofensivo, –a   el público

OPPOSITES

siempre	nunca	ganar	perder
saber	ignorar	malo	bueno
pequeño	grande	mejor	peor

SYNONYMS

tomar	coger	seguro	cierto
querer	desear	observar	notar
ver	mirar	saber	conocer

IDIOMS

(a) tener . . . años *to be . . . years old*
(b) todo el mundo *everybody*
(c) hacer + inf. a *to make one + inf.*
(d) todos = todo el mundo *everybody*
(e) reírse de *to laugh at*
(f) por supuesto (que) *of course*

EJERCICIO DE COMPRENSIÓN

Fill the blanks with the proper word or words which will make the statement true:

1. Roque es —— de su pueblo.
2. —— se divierte con él.
3. La escena atrae ——.
4. ¿ Cuál de —— escoge Roque?
5. Siempre toma —— de ——.
6. Una señora —— la escena.
7. Lo llama y le ——.
8. Comprenden todos que no ——.
9. Es mejor parecer —— y ganar ——.

ESTUDIO DE PALABRAS

I. Arrange the following words in pairs with like meanings:

1. tomar	2. cierto
conocer	notar
desear	mirar
ver	coger
seguro	saber
observar	querer

II. Arrange the following words in pairs with opposite meanings:

1. siempre	2. bueno
saber	perder
pequeño	peor
ganar	ignorar
malo	nunca
mejor	grande

III. Match each idiomatic expression with its English equivalent:

(a) 1. Roque tiene quince años. 2. Todo el mundo se divierte con él. 3. Siempre le dan bromas a Roque. 4. Varias veces al día se ríen de él. 5. Le hacen escoger entre dos monedas. 6. Él escoge la de cinco centavos como siempre. 7. Por supuesto que conoce la diferencia entre las dos monedas.

(b) 1. Everybody enjoys himself with him. 2. He chooses the five-cent coin as usual. 3. Roque is fifteen years old. 4. They always play jokes on Roque. 5. Of course he knows the difference between the two coins. 6. They laugh at him several times a day. 7. They make him choose between two coins.

ANTE TODO LA TRANQUILIDAD

A LA puerta de la casa de la señora Pérez llama [1]
un caballero de aspecto muy distinguido.

— ¿ Qué desea usted, señor? — pregunta la dama.

— Quiero saber cuántas personas tiene usted en
5 su familia.

— Mi esposo y yo, nadie más.[2]

— ¿ No tiene usted hijos?

— Digo que somos mi esposo y yo.

— ¿ No tiene usted ni perro ni gato?

10 — No, señor, no tengo animales en la casa.

— ¿ No tiene usted ni radio ni fonógrafo?

— No, señor, no tengo ni radio ni fonógrafo.

— ¿ Toca [3] su marido la guitarra, el piano, el violín o cualquier otro instrumento musical?

15 — No, señor, — contesta la dama muy impaciente.

El hombre hace muchas preguntas [a] rápidas y ella
las contesta sin saber por qué. Por fin,[b] pierde completamente la paciencia y pregunta muy irritada:

— Pero dígame, señor, ¿ por qué me hace usted tantas preguntas? ¿ Qué derecho⁴ tiene usted? ¿ Quién es usted?

— Perdone usted, señora, yo soy el hombre que piensa° alquilar⁵ la casa vecina. Y usted comprende que como yo amo la tranquilidad ante todo, quiero asegurarme de ᵈ la clase de vecinos que voy a tener.ᵉ

¹ llamar *to knock*	³ tocar *to play*	⁵ alquilar *to rent*
² *nobody else*	⁴ *right*	

CUESTIONARIO

1. ¿ De quién es la casa? 2. ¿ Quién llama a la puerta? 3. ¿ Qué desea saber el señor? 4. ¿ Cuántas personas hay en la familia? 5. ¿ Qué pregunta después el señor? 6. ¿ Qué tal contesta la señora? 7. ¿ Hace el hombre pocas o muchas preguntas? 8. ¿ Qué piensa hacer el señor? 9. ¿ Qué ama ante todo?

VOCABULARY

amar *to love*	desear *to wish*
ante *before;* — todo *above all*	el esposo *husband*
el caballero *gentleman*	el gato *cat*
la casa *house*	el perro *dog*
la clase *kind*	la puerta *door*
comprender *to understand*	el vecino *neighbor*
cualquier(a) *any*	vecino, –a *neighboring, next*

COGNATES

What English words and meanings do you recognize from the words at the top of page 18?

el aspecto	la guitarra	irritado, –a	la persona
la familia	impaciente	la paciencia	rápido, –a
el fonógrafo	el instrumento	perdonar	la tranquilidad

OPPOSITES

nadie	alguien	rápido	lento
amar	odiar	perder	encontrar
la pregunta	la respuesta	todo	nada

SYNONYMS

el señor	el caballero	contestar	responder
la persona	el individuo	perdonar	dispensar
el esposo	el marido	comprender	entender
nadie	ninguno	tener	poseer

IDIOMS

(a) hacer preguntas *to ask questions*
(b) por fin *at last*
(c) pensar + inf. *to intend to + inf.*
(d) asegurarse de *to make sure of*
(e) ir a + inf. *to be going to + inf.*

EJERCICIO DE COMPRENSIÓN

Rearrange the following sentences in the natural sequence of the story:

1. La señora contesta sin saber por qué.
2. El caballero piensa alquilar la casa vecina.
3. El hombre hace muchas preguntas rápidas.
4. Quiere saber cuántas personas tiene la familia.
5. No tienen perro, ni gato, ni otros animales.

6. El caballero llama a la puerta.
7. Dos personas viven en la casa.
8. La señora Pérez pierde la paciencia.

ESTUDIO DE PALABRAS

I. Arrange the following words in pairs with like meanings:

1. señor
   persona
   esposo
   nadie
   contestar
   perdonar
   comprender
   tener

2. entender
   responder
   poseer
   dispensar
   marido
   individuo
   caballero
   ninguno

II. Arrange the following words in pairs with opposite meanings:

1. nadie
   amar
   pregunta
   rápido
   perder
   todo

2. encontrar
   nada
   alguien
   odiar
   respuesta
   lento

III. What do these idiomatic expressions mean in English?

1. Por fin contesta la señora. 2. Quiere asegurarse de sus vecinos. 3. Piensa alquilar la casa vecina 4. Van a tener un vecino. 5. El señor hace preguntas 6. El esposo toca el piano. 7. Ama la tranquilidad ante todo. 8. La dama vuelve a contestar.

TODA PRECAUCIÓN ES SIEMPRE POCA

A LA estación del tren llegan Paco y su esposa. Son gente del campo y casi nunca van al pueblo. Ambos se dirigen a la ventana de la taquilla.¹ Paco pregunta con mucho interés al vendedor:

5 — Oiga usted, señor, ¿ ha pasado ya el tren de las tres y diez?

— El tren de las tres y diez ha pasado hace un cuarto de hora.ᵃ

— Y, ¿ a qué hora ᵇ pasa el tren de las cuatro? ᶜ

10 — Ese tren pasa en media hora.

— Y dígame, ¿ hay trenes de pasajeros antes de las cuatro?

— No, señor, no hay ninguno antes de esa hora.

— ¿ Y no pasan trenes de carga? ²

15 — No, no pasa ninguno antes de las seis.

El empleado está muy impaciente con tantas preguntas, pero continúa contestando.ᵈ Es su deber.

— ¿ Está usted seguro de eso? — pregunta con insistencia Paco.

— ¡ Pues claro,[3] hombre! ¿ Para qué estoy yo aquí? Sí, estoy seguro; estoy muy seguro — replica casi furioso el empleado.

— ¿ Completamente seguro?

— ¡ Sí, completamente, positivamente, absolutamente seguro! ¿ Comprende usted? — grita exasperado el hombre.

— Entonces, Teresa, — dice Paco muy satisfecho, dirigiéndose a su esposa — podemos cruzar la vía ahora y pasar al otro lado. ¡ No hay [e] peligro hasta las cuatro!

---

¹ *ticket window*　　² *freight trains*　　³ *Of course*

CUESTIONARIO

1. ¿ A dónde llegan Paco y su mujer? 2. ¿ Qué son ambos? 3. ¿ Cuándo van al pueblo? 4. ¿ Qué pregunta Paco con mucho interés? 5. ¿ Cuándo ha pasado el tren? 6. ¿ Hay trenes antes de las cuatro? 7. ¿ Cómo está el empleado? 8. ¿ Qué continúa haciendo? 9. ¿ Por qué contesta? 10. ¿ Qué pregunta Paco con insistencia? 11. ¿ Está seguro el empleado? 12. ¿ Qué pueden hacer Paco y su esposa?

VOCABULARY

antes de *before*	gritar *to shout*
el campo *country*	la hora *hour; time*
cruzar *to cross*	el lado *side*
el deber *duty*	el pasajero *passenger*
dirigirse *to go; speak*	el peligro *danger*
el empleado *employee*	el tren *train*
la esposa *wife*	la vía *track*

COGNATES

What English words and meanings do you recognize
from the following?

absoluto, –a	exasperado, –a	la insistencia	positivo, –a
continuar	furioso, –a	el interés	la precaución
la estación	la hora	pasar	satisfecho, –a

OPPOSITES

siempre	nunca	aquí	ahí
llegar	salir	ninguno	alguno
mucho	poco	entonces	ahora
antes de	después de	hasta	desde

SYNONYMS

ya	ahora	seguro	cierto
oír	escuchar	satisfecho	contento
contestar	responder	aquí	acá
la esposa	la mujer	comprender	entender

IDIOMS

(a) hace un cuarto de hora *a quarter of an hour ago*
(b) ¿ a qué hora? *at what time?*
(c) el tren de las cuatro *the four o'clock train*
(d) continuar + gerund *to continue + pres. part.*
(e) hay *there is, there are*

VERBOS

Give the English equivalent and the infinitive of:

1. son   2. van   3. ha pasado   4. hace   5. está   6. comprende   7. dice   8. podemos   9. pregunto   10. oiga.

EJERCICIO DE COMPRENSIÓN

Complete the following sentences with the proper words:

1. Paco y su mujer llegan a ——.
2. Casi nunca —— al pueblo.
3. El tren no ha pasado ——.
4. No pasan trenes de ——.
5. Paco y su esposa están ——.
6. El empleado está —— furioso.
7. No hay —— para Paco y su mujer.
8. Los —— se dirigen a la estación.
9. Ahora pueden cruzar ——.
10. Paco —— al empleado.

a. pregunta
b. peligro
c. dos
d. la vía
e. la estación
f. impacientes
g. casi
h. pasajeros
i. todavía
j. van
k. diez
l. dicen

ESTUDIO DE PALABRAS

I. Arrange the following words in pairs with like meanings:

1. ya
   oír
   contestar
   esposa
   seguro
   satisfecho
   aquí
   comprender

2. mujer
   cierto
   ahora
   contento
   escuchar
   responder
   entender
   acá

II. In each line find the English word which corresponds to the Spanish one:

1. *el campo*   country, pack, camp, pear
2. *diez*   hour, desk, ten, dear
3. *el tren*   there, trend, bush, train

4. *el pasajero*	passage, road, passenger, stone
5. *seguro*	hard, hot, sure, late
6. *el hombre*	earth, humble, lake, man
7. *entonces*	now, then, there, here
8. *el lado*	late, bridge, side, lad
9. *el peligro*	danger, pill, morning, girl
10. *llegar*	have, arrive, bring, return

III. **Arrange the following words in pairs with opposite meanings:**

1. siempre	2. poco
llegar	ahí
mucho	nunca
antes de	alguno
aquí	después de
ninguno	salir
entonces	desde
hasta	ahora

IV. **Write in English the idiomatic expressions that mean the same as the following sentences:**

1. El empleado continúa contestando. 2. ¿A qué hora pasa el tren? 3. Paco dice que no hay peligro. 4. El tren de las cuatro ya ha pasado. 5. Paco se dirige otra vez a su esposa. 6. Hace un cuarto de hora que el tren ha pasado. 7. El empleado casi nunca va al pueblo. 8. Paco vuelve a preguntar.

¿ DÕNDE ESTÁ MI SOMBRERO?

U<small>N</small> gallego está acostado en una cama de un hospital. Acaban de operarlo[a] y está despertando del éter. Dice con mucha alegría:

— ¡ Gracias a Dios![1] Ha pasado el peligro, porque ha terminado la operación. Ahora me curo[2] pronto y quedo como nuevo.[3] ¡ Qué buena suerte!

En la cama de al lado[4] está acostado un andaluz.

— ¿ Ah, sí? — dice al gallego. — Ande despacio, amigo. Espere un poco. No está usted curado todavía. Deje pasar unos días, entonces puede hablar así, si todo va bien.

— ¿ Por qué dice usted eso? — pregunta el gallego.

— Porque tengo mis razones[5] para decirlo. Hacen la operación, pero no pasa el peligro. Algunos médicos son muy negligentes y el enfermo no se cura tan fácilmente. Mi doctor es así. Al operarme[b] deja una esponja[6] dentro de mí y tiene que cortarme

otra vez. Ahí tiene usted más y más complicacio-
nes. Todavía puede ocurrirle algo.

El pobre gallego oye esta explicación con terror.
Más terror siente todavía cuando el paciente del
⁵ otro lado añade:

— Y oiga, amigo gallego, lo que me ha pasado a
mí. Mi médico es peor aún. A mi me ha cortado
de nuevo ᶜ para sacar un instrumento que ha dejado
en mi estómago.

¹⁰ El gallego tiembla de pies a cabeza.ᵈ Se siente
morir de miedo. Un sudor ⁷ frío corre por su cuerpo.
En ese momento aparece en la puerta de la sala ⁸ el
médico que lo ha operado. Se acerca a ᵉ la cama.
Parece buscar algo y no lo encuentra. Al fin ᶠ
¹⁵ pregunta con impaciencia:

— ¿ Dónde está mi sombrero ?

El pobre gallego siente un terror profundo y se
desmaya ⁹ al oírlo.

¹ *Thank God*	⁴ *at his side*	⁷ *sweat*
² present used for future	⁵ *reasons*	⁸ *ward*
³ *I shall be as good as new*	⁶ *sponge*	⁹ desmayarse *to faint*

CUESTIONARIO

1. ¿ Dónde está el gallego ?   2. ¿ A quién acaban de operar ?
3. ¿ Qué dice el andaluz ?   4. ¿ Qué tal son algunos médicos ?
5. ¿ Qué ha hecho el médico del andaluz ?   6. ¿ Cómo es el
médico del otro paciente ?   7. ¿ Qué ha dejado en su estómago ?
8. ¿ Qué tal se siente el gallego ?   9. ¿ Quién aparece en ese
momento ?   10. ¿ Qué pregunta el médico ?   11. ¿ Qué hace el
gallego al oírlo ?

VOCABULARY

el andaluz *Andalusian*	el enfermo *sick man*
andar *to go; walk*	esperar *to wait*
añadir *to add*	el gallego *Galician*
la cama *bed*	el médico *doctor*
cortar *to cut*	sacar *to remove, take out*
dejar *to leave*	sentir(se) *to feel*
despacio *slowly*	la suerte *luck*
despertar *to awaken*	terminar *to end*

COGNATES

What English words and meanings do you recognize from the following?

la complicación	la impaciencia	la operación	pasar
el estómago	negligente	operar	profundo, –a
el éter	ocurrir	el paciente	terminar

OPPOSITES

dejar	quitar	frío	caliente
el amigo	el enemigo	buscar	encontrar
nuevo	viejo	algo	nada
sacar	poner	hallar	perder
despacio	aprisa	despertar	dormir

SYNONYMS

terminar	acabar	el miedo	el temor
la suerte	la fortuna	el momento	el instante
el paciente	el enfermo	encontrar	hallar
la razón	el motivo	oír	escuchar

IDIOMS

(a) acabar de + inf. *to have just + past part.*
(b) al + inf. *upon, on + pres. part.*
(c) de nuevo = otra vez *again*
(d) de pies a cabeza *from head to foot*
(e) acercarse a *to approach*
(f) al fin = por fin *at last*

EJERCICIO DE COMPRENSIÓN

Choose the proper word or words to complete the following sentences in accordance with the facts in the story:

1. El gallego está en (un teatro, un hospital, una estación).
2. El médico ha operado (al gallego, al perro, al autor).
3. Todavía no ha pasado (el tiempo, el tranvía, el peligro).
4. El médico busca (algo, el sombrero, un instrumento).
5. No está curado (tampoco, todavía, así) de la operación.
6. El enfermo siente un profundo (terror, sudor, frío).
7. El médico del vecino es más (tonto, negligente, pobre).
8. Si todo va bien (entonces, ahora, nunca) puede hablar así.
9. ¿ Por qué (contesta, dice, termina) eso el andaluz?
10. Ha dejado dentro (un sombrero, una moneda, una esponja).

ESTUDIO DE PALABRAS

I. Arrange the following words in pairs with like meanings:

1.	2.
terminar	enfermo
suerte	temor
paciente	instante
razón	acabar
miedo	fortuna
momento	motivo
encontrar	escuchar
oír	hallar

II. Arrange the following words in pairs with opposite meanings:

1.	2.
dejar	aprisa
amigo	caliente
nuevo	quitar
despacio	encontrar
frío	perder
sacar	nada
buscar	dormir
algo	enemigo
hallar	poner
despertar	viejo

III. Match each idiomatic expression with its English equivalent:

1. Acaba de despertar.
2. Lo han operado otra vez.
3. ¡ Gracias a Dios estoy curado !
4. Su amigo habla de nuevo.
5. Ahora él queda como nuevo.
6. Al verlo salió.
7. Él vuelve a desmayarse.
8. Yo tengo que preguntarle.
9. Ella se acerca a la cama.
10. Al fin llega el médico.

a. His friend speaks again.
b. At last the doctor arrives.
c. He is as good as new now.
d. They have operated on him again.
e. She approaches the bed.
f. I have to ask him.
g. Thank God I am cured !
h. He has just awakened.
i. On seeing him he left.
j. He faints again.

UN PERRO SIN IGUAL

Varios amigos están reunidos en el casino.[1] Conversan sobre varias cosas. Hablan del tiempo y de la política. Terminan por hablar del perro, amigo fiel del hombre. Uno dice que tiene un perro muy inteligente. Otro dice que el suyo es más inteligente. El tercero insiste en que el suyo es el mejor.

— ¡ No hay perro como el mío ! Créanme ustedes, caballeros, es un perro sin igual — dice López.

— ¿ Por qué dice usted eso? — pregunta uno.

— Porque tengo una prueba absoluta.

— ¿ Ah, sí? — añade otro.

— ¿ Cuál es esa prueba? — replica un tercero.

— Esperen ustedes, voy a contar algo que les ha de [a] probar que tengo razón.[b] Estoy seguro de que tengo el mejor perro del mundo.

— ¡ Vamos,[2] la prueba ! — todos dicen juntos.[3]

— Pues bien,[4] una noche salgo con mi esposa. Vamos al teatro. Cuando volvemos a casa,[c] encuentro a mi perro echado [5] en el sofá de la sala. Lo

riño severamente. El animal parece comprender.
Una semana después, salimos otra noche, mi esposa
y yo. Regresamos a casa y encontramos al perro
echado en el suelo. Toco el sofá y está todavía
caliente. Comprendo que el perro acaba de bajar ⁵
del sofá. Lo riño de nuevo. Un mes después,
salimos por tercera vez. Volvemos a casa y pasa
algo extraordinario.

— ¿ Qué pasa? — interrumpe uno. — Lo riñe
usted y el perro está curado, ¿ no es verdad? ᵈ ₁₀

— No nos diga que el perro le promete no hacerlo
más — replica otro.

— El perro está echado en el sofá, ¿ no es así? ᵈ
— pregunta otro amigo.

— ¡ Silencio, señores! Nada de eso. El animal ₁₅
no está echado en el sofá, ni me habla, ni me promete
nada. ¿ Saben ustedes qué está haciendo mi perro
cuando entro yo en ᵉ la sala? Apuesto a que ⁶
ustedes no me creen.

— ¿ Qué hace ese maravilloso perro de usted? — ₂₀
pregunta uno.

— Pues, sopla y sopla en el asiento del sofá esta
vez . . . ¡ para enfriarlo! ⁷

¹ club
² Come
³ all together
⁴ Well then, All right then
⁵ lying
⁶ I bet
⁷ enfriar to cool

CUESTIONARIO

1. ¿ Dónde están reunidos los amigos? 2. ¿ Sobre qué conversan? 3. ¿ De qué hablan por fin? 4. ¿ Qué dice López?
5. ¿ De qué está seguro? 6. ¿ Con quién sale una noche?

7. ¿A dónde van?   8. ¿Qué encuentra López en el sofá?
9. ¿Qué toca otra noche?   10. ¿Qué pasa un mes después?
11. ¿Qué hace el perro para enfriar el sofá?

VOCABULARY

el asiento	*seat*	la prueba	*proof*
caliente	*warm*	regresar	*to return*
contar	*to tell*	reñir	*to scold*
fiel	*faithful*	soplar	*to blow*
pasar	*to happen*	el suelo	*floor*
probar	*to prove*	volver	*to return*

COGNATES

What English words and meanings do you recognize from the following?

absoluto, –a	extraordinario, –a	interrumpir	severo, –a
conversar	insistir	maravilloso, –a	el silencio
curado, –a	inteligente	la política	varios, –as

OPPOSITES

el amigo	el enemigo	salir	entrar
conversar	callar	ir	volver
terminar	principiar	después	antes
inteligente	torpe	caliente	frío

SYNONYMS

terminar	acabar	seguro	cierto
conversar	hablar	volver	regresar
fiel	leal	todavía	aún
el mundo	el universo	todos	todo el mundo

IDIOMS

(a) haber de *to be to*
(b) tener razón *to be right*
(c) a casa *home*
(d) ¿ no es verdad? = ¿ no es así? *is it not true? = is it not so?*
(e) entrar en *to enter (into)*

EJERCICIO DE COMPRENSIÓN

The events listed below are not in the proper order. Rearrange them as they occur in the story:

1. Un mes después ambos salen otra vez.
2. Todos quieren la prueba.
3. López dice que no hay perro como el suyo.
4. Riñe severamente al perro.
5. Cada uno dice que su perro es muy inteligente.
6. Los amigos están reunidos en el casino.
7. El perro termina por soplar en el sofá.
8. Cuando regresan a casa el perro está echado en el sofá.
9. Ellos terminan por hablar de perros.
10. Una noche sale con su esposa.

ESTUDIO DE PALABRAS

I. Arrange the following words in pairs with like meanings:

1. terminar	2. todo el mundo
conversar	leal
fiel	regresar
mundo	acabar
seguro	universo
volver	aún
todavía	hablar
todos	cierto

II. Arrange the following words in pairs with opposite meanings:

1. amigo	volver
conversar	entrar
terminar	torpe
inteligente	antes
salir	enemigo
ir	callar
después	frío
caliente	principiar

III. Imitate these constructions and translate your sentences into English:

1. Tiene razón en decir eso.   2. Pues bien, le doy la prueba.
3. Los dos acaban de entrar.   4. El perro está de nuevo en el sofá.   5. Lo decimos todos juntos.   6. Mi esposa y yo regresamos a casa.   7. El perro es inteligente, ¿ no es así?

PERDÓN JUSTIFICADO

Un hombre se presenta ante un juez. Está **acu-sado** de pegar a una mujer en público.

— No he podido evitarlo,[1] señor juez, — dice.
— Esta mañana, esa señora sube al ómnibus y se sienta frente a mí. Luego abre la bolsa,[2] saca el portamonedas,[3] cierra la bolsa, abre el portamonedas, toma cinco centavos y cierra el portamonedas. Después, abre otra vez la bolsa, vuelve a poner en su sitio el portamonedas y cierra la bolsa. Ve entonces que el cobrador no se acerca. Yo la miro sorprendido. ¿Y cree usted que espera? No, de ninguna manera.[a] La señora abre otra vez la bolsa, saca el portamonedas, cierra la bolsa, abre el portamonedas, vuelve a poner en él los cinco centavos, cierra el portamonedas, abre la bolsa, mete en ella el portamonedas y cierra la bolsa. Yo la miro irritado. En ese momento llega por fin el cobrador. Naturalmente,[b] la señora repite por tercera vez la operación. Abre de nuevo la bolsa, mete

en ella el portamonedas y cierra la bolsa. Entonces, entrega al cobrador los cinco centavos y
recibe en cambio el billete. Yo ya no puedo más,[o]
me vuelvo loco.[d] ¿ Y sabe usted lo que hace aún esa
5 mujer, señor juez? ¡ Hace lo mismo por cuarta
vez! ¡ Cielo santo! ¡ Lo hace una, dos, tres, cuatro
veces! Yo pierdo la razón.[e] Ella en seguida,[f] con
toda calma,[4] vuelve a abrir la bolsa, saca el portamonedas, cierra la bolsa, abre el portamonedas,
10 guarda el billete en él, cierra el portamonedas, abre
la bolsa, mete en ella el portamonedas y cierra la
bolsa. Yo entonces . . .

— ¡ Basta, por Dios![5] — exclama el juez desesperado. — ¡ Cállese, hombre o diablo! ¡ Silencio!
15 Ya hemos oído demasiado. No diga más, pues nos
volvemos locos también nosotros.

— Pues, eso me ha pasado a mí, señor juez, me he
vuelto loco. No he podido evitarlo y le he dado una
sonora bofetada.[6] Y lo peor es que[7] estoy com-
20 pletamente loco desde entonces.

El pobre juez se siente casi loco también. Pero
trata de[g] dominarse y sólo grita:

— ¡ ¡ Absuelto!![8]

[1] *I could not help it*	[4] *quite calmly*	[7] *And the worst*
[2] *handbag*	[5] *Enough, for Heaven's sake*	*of it is*
[3] *purse*	[6] *resounding slap*	[8] *Pardoned*

CUESTIONARIO

1. ¿ Ante quién se presenta el hombre? 2. ¿ De qué está
acusado? 3. ¿ Dónde se sienta la señora? 4. ¿ Qué abre?

5. ¿Qué saca de la bolsa?   6. ¿Qué toma del portamonedas? 7. ¿Qué abre otra vez?   8. ¿Qué pone en su sitio?   9. ¿Qué cierra entonces?   10. ¿Qué hace de nuevo?   11. ¿Quién llega por fin?   12. ¿Qué entrega la dama al cobrador?   13. ¿Qué ha pasado al hombre?   14. ¿Cómo se siente el juez? 15. ¿Quién grita « absuelto »?

VOCABULARY

abrir *to open*	dominarse *to control oneself*
el cambio *exchange*	entregar *to hand over; give*
callarse *to be quiet*	frente a *in front of*
casi *almost*	el juez *judge*
cerrar *to close*	meter *to put in*
delante de *in front of*	pegar *to strike*
demasiado *too much; enough*	sacar *to take out*

COGNATES

What English words and meanings do you recognize from the following?

acusar	irritado, –a	natural	el perdón
calma	justificado, –a	el ómnibus	repetir
exclamar	la manera	la paciencia	sonoro, –a

OPPOSITES

sentarse	levantarse	abrir	cerrar
frente a	detrás de	callarse	hablar
tomar	dar	demasiado	poco
meter	sacar	también	tampoco

SYNONYMS

frente a	delante de	tomar	coger
la señora	la dama	meter	poner
luego	después	el diablo	el demonio
pero	sino	aún	todavía

IDIOMS

(a) de ninguna manera *not at all, by no means*
(b) naturalmente = por supuesto *of course, naturally*
(c) yo ya no puedo más *I cannot stand it any more*
(d) volverse loco *to become crazy*
(e) perder la razón = volverse loco *to become crazy, lose one's head*
(f) en seguida *at once* (g) tratar de *to try to*

EJERCICIO DE COMPRENSIÓN

Complete the following sentences with the proper words:

1. Un hombre se presenta —— juez.
2. Ella recibe —— del cobrador.
3. El juez trata de ——.
4. Él pega a una mujer ——.
5. En ese momento llega el ——.
6. Ya hemos oído ——.
7. La señora —— al ómnibus.
8. Ella saca del portamonedas ——.
9. Ella hace lo mismo por ——.
10. Siempre —— la bolsa.

a. cinco centavos
b. en público
c. cobrador
d. ante un
e. un billete
f. dominarse
g. cuarta vez
h. demasiado
i. abre
j. sube
k. bolsa
l. miro

ESTUDIO DE PALABRAS

I. Arrange the following words in pairs with like meanings:

1. frente a
   señora
   luego
   tomar
   meter
   pero
   aún
   diablo

2. después
   poner
   coger
   demonio
   todavía
   dama
   delante de
   sino

II. Arrange the following words in pairs with opposite meanings:

1. sentarse
   frente a
   tomar
   meter
   abrir
   callarse
   demasiado
   también

2. sacar
   poco
   hablar
   tampoco
   levantarse
   dar
   detrás de
   cerrar

III. Learn the following idioms and use them in other short original sentences:

1. Vuelve a abrir la ventana.
2. No lo hace de ninguna manera.
3. Por fin llega el cobrador.
4. Naturalmente le da el billete.
5. El pobre hombre ya no puede más.
6. ¿ Quién pierde la razón ?
7. El juez se vuelve loco.
8. El hombre trata de callarse.
9. En seguida abre la bolsa.
10. Con toda calma cierra la bolsa.

CAPRICHOS DE LA FORTUNA

En un gran hotel de Nueva York, la gran ciudad norteamericana, estaba de director [1] un español. Todo marchaba muy bien [2] en el establecimiento, pues él mismo se ocupaba personalmente de [3] todos
5 los detalles.[a] Una de sus costumbres era hacer una visita de inspección todas las semanas a los cuartos, las cocinas y los diferentes departamentos del hotel. Una mañana hacía la visita cuando encontró a un hombre lavando el piso de un corredor. El hombre
10 se levantó a saludarlo, con el respeto debido a un jefe.

— Buenos días,[4] señor, — dijo en español.

— Buenos días — respondió el director. — ¿ Es usted español? No sabía que tenía un compatriota en el hotel. No lo había visto antes. ¿ Desde
15 cuándo trabaja usted [5] con nosotros?

— Hace tres días que trabajo aquí [6] — contestó el hombre con mucha tristeza.

El director era muy bueno con [7] sus empleados y

se tomaba mucho interés en ellos. Los trataba y les pagaba bien y hasta se preocupaba de [b] su bien-estar.[8] Al ver la cara triste de su empleado le dijo con cordialidad:

— ¡Anímese, hombre, anímese! Yo también limpié suelos al principio de mi carrera. Y ahora vea usted dónde estoy ¡de director general de este magnífico hotel! ¡Eso pasa sólo en este país!

La cara del otro se puso aún más triste y contestó:

— Mire usted, señor, al principio de mi carrera yo también era director general de un hotel tan bueno como éste. ¡Y ahora... limpio suelos! ¡Eso también sólo pasa en este país!

[1] estar de director = ser director *to be the manager*
[2] marchar bien *to go well*
[3] ocuparse de *to take care of*
[4] *Good morning*
[5] *How long have you been working?*
[6] *I've been working here for three days*
[7] ser bueno con *to be good to*
[8] *well-being*

CUESTIONARIO

1. ¿Quién era el director del hotel? 2. ¿Dónde estaba el hotel? 3. ¿Cómo marchaba todo allí? 4. ¿De qué se ocupaba el director? 5. ¿Qué hacía todas las semanas? 6. ¿A quién encontró una mañana? 7. ¿Cuánto tiempo había trabajado allí el hombre? 8. ¿Cómo era el director con sus empleados? 9. ¿Qué tal los trataba? 10. ¿Cómo los pagaba? 11. ¿Qué había hecho al principio de su carrera? 12. ¿Qué había sido el otro al principio de la suya?

VOCABULARY

animarse *to cheer up*
el capricho *whim*

la cara *face*
el corredor *hall*

la costumbre *custom*	limpiar *to clean*
debido, –a *due*	pagar *to pay*
encontrar *to meet*	ponerse *to become*
el jefe *manager*	el principio *beginning*
lavar *to wash*	saludar *to greet*

COGNATES

What English words and meanings do you recognize from the following?

la carrera	el detalle	el interés
el compatriota	la diferencia	marchar
la cordialidad	el establecimiento	magnífico, –a
el departamento	la inspección	el respeto

OPPOSITES

aquí	allí	triste	alegre
el interés	la indiferencia	el principio	el fin
pagar	cobrar	ahora	entonces
todo	nada	levantarse	sentarse

SYNONYMS

el director	el jefe	el hombre	el individuo
marchar	andar	la cara	el rostro
diferente	distinto	magnífico	espléndido
el español	el castellano	sólo	solamente

IDIOMS

(a) todos los detalles *every detail*
(b) preocuparse de *to worry about*

EJERCICIO DE COMPRENSIÓN

Complete the following sentences so that they will form a summary of the story:

1. —— estaba de director en ——.
2. Él mismo se ocupaba personalmente ——.
3. Todas las semanas hacía una visita ——.
4. Pasaba por —— cuartos del hotel.
5. Una mañana —— hombre.
6. El hombre lavaba —— de un corredor.
7. Se levantó para —— al jefe.
8. El director no lo había ——.
9. Hace —— que trabaja en ——.
10. Al —— lavaba pisos y ahora ——.
11. El otro era —— pero ahora —— pisos.
12. Esas cosas sólo —— en este país.

ESTUDIO DE PALABRAS

I. Arrange the following words in pairs with like meanings:

1. director	2. distinto
marchar	ya
encontrar	castellano
diferente	individuo
español	pieza
pasar	jefe
hombre	andar
cara	contestar
ahora	rostro
magnífico	solamente
sólo	ocurrir
cuarto	espléndido
responder	hallar

II. Arrange the following words in pairs with opposite meanings:

1. aquí
   interés
   pagar
   todo
   triste
   principio
   ahora
   levantarse

2. nada
   alegre
   allí
   fin
   indiferencia
   entonces
   sentarse
   cobrar

III. Match each idiomatic expression with its English equivalent:

1. Estoy de director.
2. Hago esto todas las semanas.
3. Todo marcha bien allí.
4. Buenos días, amigo.
5. Hace dos días que estoy aquí.
6. Es bueno con los empleados.
7. Se preocupa de todo.
8. Al verlo lo llama.
9. Se ocupa de los detalles.
10. Él era director del hotel.

a. On seeing him he calls him.
b. He worries about everything.
c. I am the manager.
d. I do this every week.
e. He takes care of details.
f. Good morning, my friend.
g. All goes well there.
h. He was the manager of the hotel.
i. I have been here two days.
j. He is good to the employees.

TENÍA REMEDIO PARA TODO

Un día recibió un médico una caja y la siguiente carta:

Muy señor mío [1]:

Aunque usted no me ha pedido estos cincuenta cigarros se los mando. Estoy seguro de que usted apreciará su exquisito aroma y su excelente sabor,[2] pues son los mejores del mercado.[3]

Con la caja le envío la cuenta que sube a veinticinco duros, precio muy barato considerando la calidad superior del tabaco.

Soy de usted atento y seguro servidor,[4]

JUAN PÉREZ

El médico respondió en seguida:

Muy señor mío:

Aunque usted no ha venido jamás a mi oficina, ni he tenido el honor de visitarlo como médico en su casa, me permito enviarle cinco recetas,[5] sin pedírmelas. De éstas

hay: una para la fiebre amarilla; otra para el reumatismo; otra para la parálisis; otra para la neuralgia; y la última para la diabetis. Estoy completamente seguro de que usted apreciará su eficacia. Quedará usted tan satisfecho
5 de ellas como yo de sus cigarros.

El precio de cada receta es de cinco duros. Si usted considera que son una verdadera protección para su salud, admitirá usted que recibe una verdadera ganga.[6]

Así pues, usted no me debe nada a mí, ni yo le debo
10 nada a usted.

Quedo de usted atento y seguro servidor,

RAFAEL CASTILLO

[1] *Dear Sir*	[3] *market*	[5] *prescriptions*
[2] *flavor*	[4] *Very truly yours*	[6] *bargain*

CUESTIONARIO

1. ¿Qué recibió el médico un día? 2. ¿Qué le mandaron con la carta? 3. ¿Cuánto valían los cigarros? 4. ¿De qué calidad eran? 5. ¿Qué enviaron con la caja? 6. ¿Quién escribió la carta? 7. ¿Cuándo respondió el médico? 8. ¿Cuántas recetas envió? 9. ¿Para qué era la primera? ¿la segunda? ¿la tercera, etc.? 10. ¿Cuánto valía cada receta? 11. ¿Para qué eran las recetas una protección? 12. ¿Cómo se llamaba el médico?

VOCABULARY

amarillo, –a *yellow*	la cuenta *bill*
apreciar *to appreciate*	el duro *dollar*
aunque *although*	la fiebre *fever*
barato, –a *cheap*	la oficina *office*
la caja *box*	la salud *health*
la calidad *quality*	siguiente *following*
la carta *letter*	verdadero, –a *real*

COGNATES

What English words and meanings do you recognize from the following?

admitir	la eficacia	la parálisis	la protección
el cigarro	excelente	permitir	superior
considerar	exquisito, –a	el precio	el tabaco

OPPOSITES

el día	la noche	superior	inferior
recibir	mandar	jamás	siempre
pedir	dar	mejor	peor
la salud	la enfermedad	el último	el primero
barato	caro	deber	cobrar

SYNONYMS

aún	todavía	satisfecho	contento
mandar	enviar	el cigarro	el tabaco
seguro	cierto	pues	porque
admitir	confesar	el duro	el dólar

REVIEW OF IDIOMS

en seguida *at once*
volver a + inf. *to do (something)* *again*
acabar de + inf. *to have just + past part.*
tener que + inf. *to have to + inf.*
todo el mundo = todos *everybody*
ir a + inf. *to be going to + inf.*
pensar + inf. *to intend to*
por fin = al fin *at last*
por supuesto (que) *of course*

EJERCICIO DE COMPRENSIÓN

State whether the following statements are true or false:

1. La cuenta subía a veinticinco duros.
2. Son los mejores cigarros del mercado.
3. Pérez no envió la cuenta con la caja.
4. Decía que los cigarros eran muy baratos.
5. Para pagar la cuenta el médico envió cinco recetas.
6. El médico había pedido la caja de cigarros.
7. Las recetas eran una protección para la salud.
8. Juan Pérez había recibido la visita del médico.
9. Había una receta para la fiebre amarilla.
10. El doctor Castillo no contestó a la carta.

ESTUDIO DE PALABRAS

I. Arrange the following words in pairs with like meanings:

1.	aún	2.	dólar
	mandar		todavía
	seguro		cierto
	admitir		contento
	satisfecho		tabaco
	cigarro		confesar
	pues		enviar
	duro		porque

II. Arrange the following words in pairs with opposite meanings:

1.	día	2.	caro
	recibir		cobrar
	pedir		inferior
	salud		siempre

barato	noche
superior	peor
jamás	enfermedad
mejor	primero
último	dar
deber	mandar

III. Give the English equivalents for the following idiomatic expressions:

1. El médico volvió a escribir. 2. Ellos acaban de verlo. 3. El doctor tiene que contestar a la carta. 4. Todo el mundo va a la oficina del médico. 5. Vamos a ver al médico. 6. Al fin Juan Pérez recibió los veinticinco duros. 7. Por supuesto que los cigarros eran caros. 8. El médico no pensaba pagar los cigarros. 9. Por fin, el médico vió la cuenta. 10. En seguida el doctor envió las recetas.

¿PARA QUÉ GASTAR DINERO
INÚTILMENTE?

Los catalanes tienen fama de ser muy prácticos. Cuando se trata de [a] gastar dinero lo hacen siempre con mucho cuidado. En los cuentos españoles, hacen el mismo papel [b] que se da a los escoceses en los cuentos ingleses.

Viajaba un catalán de Barcelona a Madrid en un tren ómnibus.[1] Naturalmente el tren se detenía en todas las estaciones de la ruta. En cada estación bajaba del coche el catalán y se dirigía a la taquilla. Compraba un billete hasta la siguiente estación y volvía a subir al tren. Como pasa siempre en los viajes, otro viajero, que estaba sentado a su lado, conversaba con él. Era éste un andaluz muy curioso. Al ver bajar tantas veces a su compañero, le preguntó:

—¿Para qué baja usted en cada estación? No hace sino correr.[2] ¿Por qué no se queda usted en el coche? Apenas hay tiempo para nada cuando nos detenemos. Usted emplea esos pocos minutos corriendo y pronto se sentirá muy cansado.

— Tengo que bajar en cada estación. Muy buena razón tengo para ello — respondió el catalán.

— Pero, ¿ cuál es? ¿ Para qué baja usted?

— Para comprar un billete. Tengo que hacerlo así.

— ¡ Para comprar un billete en cada estación! — exclamó con sorpresa el andaluz. — ¿ Por qué no compró usted un billete entero para todo el viaje hasta la capital?

— Por economía — contestó el catalán.

— ¿ Por economía? No comprendo cómo usted economiza dinero así.

— Sí, economizo; pues sufro del corazón[3] y mi médico me dijo que podía morir de un momento a otro.[4] Por esa razón, me pareció un gasto inútil comprar un pasaje entero de Barcelona a Madrid.

---

¹ *local*
² *You're always on the run*
³ *sufrir del corazón to have heart trouble*
⁴ *any moment*

CUESTIONARIO

1. ¿ Qué fama tienen los catalanes?   2. ¿ En qué viajaba el catalán?   3. ¿ Qué hacía el catalán en cada estación?   4. ¿ Qué compraba?   5. ¿ Quién estaba sentado a su lado?   6. ¿ Qué preguntó a su compañero?   7. ¿ Qué respondió el catalán?   8. ¿ Para qué bajaba?   9. ¿ Por qué hacía eso?   10. ¿ De qué sufría el catalán?   11. ¿ Qué dijo el médico al catalán?   12. ¿ Qué le pareció al catalán un gasto inútil?

VOCABULARY

el camino *way*	el pasaje *ticket*
cansado, –a *tired*	quedarse *to remain*
el compañero *companion*	la sorpresa *surprise*
detenerse *to stop*	viajar *to travel*
gastar *to spend*	el viaje *trip*
inútil *useless*	el viajero *traveler*

COGNATES

What English words and meanings do you recognize from the following?

el andaluz	curioso, –a	emplear	exclamar
el catalán	la economía	entero, –a	perdonar
conversar	economizar	la estación	sufrir

OPPOSITES

gastar	ganar	ahora	después
hasta	desde	inútil	útil
sentado	de pie	comprar	vender
siempre	nunca	perder	hallar

SYNONYMS

el camino	la ruta	entero	completo
dirigirse	ir	el coche	el vagón
siguiente	próximo	conversar	hablar
subir	montar	el minuto	el instante
emplear	usar	pronto	luego

IDIOMS

(a) tratarse de *to be the question (case) of*
(b) hacer el papel *to play the role*

EJERCICIO DE COMPRENSIÓN

Complete the following sentences with the proper words:

1. Viajaba un catalán a ——.
2. El tren se detenía en todas las ——.
3. El catalán bajaba siempre para comprar ——.
4. Estaba sentado a su lado un andaluz muy ——.
5. Al verlo bajar tantas veces preguntó al ——.
6. Apenas había tiempo para volver ——.
7. El pobre catalán sufría ——.
8. Compraba un billete hasta la siguiente ——.
9. Así no gastaba su dinero ——.
10. Si moría no tenía que pagar el resto del ——.

a. curioso
b. al tren
c. estación
d. pasaje
e. un billete
f. inútilmente
g. catalán
h. la capital
i. estaciones
j. del corazón
k. entero
l. subir

ESTUDIO DE PALABRAS

I. Arrange the following words in pairs with like meanings:

1. camino
   dirigirse
   siguiente
   subir
   comprender
   entero
   coche
   minuto
   conversar
   responder
   pronto
   emplear

2. luego
   ruta
   vagón
   contestar
   instante
   hablar
   ir
   completo
   usar
   entender
   montar
   próximo

II. Arrange the following words in pairs with opposite meanings:

1. gastar
   hasta
   sentado
   siempre
   ahora
   inútil
   comprar
   perder

2. desde
   hallar
   ganar
   de pie
   útil
   vender
   nunca
   después

III. Translate the following idiomatic expressions and imitate them by writing other original sentences:

1. Tenemos que viajar hasta Madrid. 2. Volveremos a bajar. 3. ¿Para qué bajaba en todas las estaciones? 4. De un momento a otro llegaría a la capital. 5. Al verlo subir le hablé en español. 6. No se trata de comprar un billete. 7. ¿Qué papel hacen los catalanes? 8. Mi madre sufre del corazón.

...MITAD DE PRECIO

...rior de la Argentina visitaba
...os Aires, la bella capital,
...l Sur. Pasó por delante
...se detuvo frente al
...sitaba un sombrero
...Era uno de los me-
...larmente le atrajo
...de precio ».[2]
...eguntó al ven-
...S
...bien.
...puso s — contestó
...comprador.
...r.
...uedó muy
...lsillo y los

Luego se dirigió a la puerta para salir, pero el vendedor lo detuvo.

— Un momento, caballero, — le dijo cambiando de tono y de actitud [5] — el precio no es tres pesos; el sombrero vale seis pesos. Se ha equivocado usted.

— ¿ Cómo ? — replicó el hombre. — ¿ No me dijo usted que el sombrero valía seis pesos ?

— Sí, por eso [d] le pido ahora los otros tres pes

— No, señor, pues usted lo tenía marcado mitad de precio », ¿ no es verdad ? Pues bien debo pagarle tres pesos, es decir, [6] la mitad de

— ¡ Oh, no, señor ! ¿ Cómo voy a vende tres pesos si me cuesta a mí más ? — dijo el irritado. — Ya que [7] usted piensa así devu sombrero.

— No, no se lo devuelvo. El precio y también me gusta el sombrero.

Siguió una discusión violenta. N dos podía convencer al otro. El d llamar a un policía. Éste los llevó a arreglar el asunto.

El comprador, que era muy lis tanta elocuencia que convenció juez falló [8] en su favor, y sali sombrero, sin pagar los otros dijo al dueño de la tienda :

— De ahora en adelante más su mercancía « a mita

---

[1] *shop window* [4] *counter*
[2] *At half price* [5] *changing to*
[3] *suits me* [6] *that is to s*

CUESTIONARIO

1. ¿ Qué ciudad visitaba el hombre?   2. ¿ Por dónde pasó?
3. ¿ Qué necesitaba?   4. ¿ Cómo estaba marcado el sombrero?
5. ¿ Cuál era el precio?   6. ¿ Qué dijo el comprador?   7. ¿ Qué
tal le quedaba el sombrero?   8. ¿ Cuánto dinero sacó del
bolsillo?   9. ¿ Dónde puso el dinero?   10. ¿ Qué hizo el vendedor?   11. ¿ Qué siguió después?   12. ¿ A quién llamó el dueño?
13. ¿ A dónde los llevó el policía?   14. ¿ Cómo se defendió el
comprador?   15. ¿ Qué aconsejó el juez al vendedor?

VOCABULARY

aconsejar *to advise*	devolver *to return, give back*
arreglar *to settle*	equivocarse *to be mistaken*
el asunto *matter*	listo, –a *clever*
atraer *to attract*	necesitar *to need*
cambiar (de) *to change*	probar(se) *to try on*
el comprador *buyer*	quitarse *to take off*
detener(se) *to stop*	la tienda *shop*

COGNATES

What English words and meanings do you recognize
from the following?

la actitud	convencer	la discusión	marcar	el tribunal
el caso	costar	el magistrado	el tono	visitar

OPPOSITES

delante de	detrás de	aquí	ahí
entrar en	salir de	sobre	bajo
quitarse	ponerse	sin	con
listo	tonto	la verdad	la mentira

SYNONYMS

delante de	frente a	cambiar	variar
gustar	agradar	llevar	conducir
poner	colocar	el asunto	el caso
sobre	encima de	dejar	permitir

IDIOMS

(a) gustar a *to like*
: me gusta el sombrero *I like the hat*
: me gusta comprar sombreros *I like to buy hats*
: me gustan los sombreros *I like hats*

(b) tenga la bondad (de) *please*

(c) quedar bien a *to fit well, look well on*

(d) por eso = por esa razón *for that reason*

(e) de ahora en adelante *from now on*

EJERCICIO DE COMPRENSIÓN

Complete the sentences by using the proper word in accordance with the contents of the story:

1. Un hombre (contestó, visitó, decidió) a Buenos Aires.
2. Se detuvo (detrás de, bajo, frente a) un escaparate.
3. Necesitaba (comprar, atraer, devolver) un sombrero.
4. Le conviene (el mostrador, el precio, el bolsillo).
5. Aquí está (la tienda, la puerta, el dinero).
6. Luego (se detuvo, preguntó, se dirigió) a la puerta.
7. El sombrero (quedaba, costaba, cambiaba) seis pesos.
8. El dueño vendía (duros, sombreros, precios).
9. El comprador era muy (tonto, listo, pobre).
10. Salió del tribunal sin (vender, pagar, convenir).
11. Los tres hombres (entraron, gustaron, quitaron) en el tribunal.
12. En la tienda vendían (escaparates, sombreros, bolsillos).
13. El juez (decidió, pasó, estuvo) en favor del hombre.

ESTUDIO DE PALABRAS

I. Arrange the following words in pairs with like meanings:

1. delante de	2. encima de
gustar	colocar
poner	agradar
sobre	frente a
cambiar	variar
llevar	caso
asunto	conducir
dejar	permitir

II. Arrange the following words in pairs with opposite meanings:

1. delante de	2. mentira
entrar en	con
quitarse	bajo
listo	ahí
aquí	tonto
verdad	detrás de
sobre	ponerse
sin	salir de

III. Imitate the following idiomatic expressions and give their meanings in English:

1. Tengo que comprar un sombrero. 2. Tenga la bondad de pagarme. 3. El sombrero le queda muy bien. 4. Lo vendo a mitad de precio. 5. Por eso no lo compraré. 6. El sombrero es caro, ¿ no es verdad? 7. El comprador era listo, es decir, no era tonto. 8. De ahora en adelante no le hablaré. 9. Entran en una tienda de sombreros. 10. Me gustan las tiendas de la capital.

EL ALTO COSTO DEL SUICIDIO

Roberto Medina era un español muy avaro.
Gastaba sólo lo necesario para comer y pagar un
humilde cuarto. Tenía algún dinero, pero no quería
gastarlo. Un centavo le parecía una fortuna. No
5 compraba un periódico por no cometer el acto
extravagante de gastar dos centavos.

Roberto nunca estaba contento, porque solamente
pensaba en no gastar dinero. Además, tampoco se
sentía bien, pues vivía y comía muy mal.
10 En el invierno no tenía sobretodo [1] ni calor en su
cuarto. Sufría mucho y hasta caía enfermo a
menudo [a] durante esa estación. Se cuidaba él mismo
y compraba una medicina solamente cuando estaba
muy mal, pero nunca llamaba al médico. Su única
15 cura era guardar cama [b] hasta sentirse mejor. En
el verano no iba ni a la playa ni a las montañas; y
pasaba en su cuarto terribles noches de calor.

Por fin, Roberto se convirtió en [c] un verdadero

avaro y se cansó de ^d la vida. No tenía ambición ni
alegría ninguna. La existencia era muy dura para
él y decidió suicidarse. Fué a una farmacia y dijo al
dependiente ²:

— Déme usted un centavo de estricnina.

— ¡ Un centavo de estricnina ! — exclamó el
droguista sorprendido.

— Sí, un centavo — repitió Roberto.

— Lo siento mucho,ᵉ pero es imposible vender un
centavo de estricnina.

— Y, ¿ por qué ? Usted está aquí para vender.

— Sí, pero la estricnina es una medicina muy cara.
La cantidad más pequeña que podemos venderle es
una peseta.

— ¡ Una peseta ! — exclamó el avaro. — Pues,
entonces no se moleste usted. No compraré nada.

Al salir de la farmacia decía Roberto en alta voz:

— ¡ Qué caro ᶠ cuesta el suicidio ! ¡ Qué extravagante es suicidarse ! Prefiero seguir viviendo ᵍ a tener
que gastar ese dinero. ¿ Quién es el tonto que va a
pagar una peseta por matarse ?

Y así, Roberto Medina continuó su miserable
existencia.

¹ *overcoat*   ² *clerk*

CUESTIONARIO

1. ¿ Qué clase de hombre era Roberto Medina ?   2. ¿ Cuánto
gastaba ?   3. ¿ Qué le parecía un centavo ?   4. ¿ Qué tal se
sentía ?   5. ¿ Cuándo caía enfermo ?   6. ¿ Cuál era su única
cura ?   7. ¿ Qué noches pasaba en su cuarto en el verano ?
8. ¿ En qué se convirtió ?   9. ¿ De qué se cansó ?   10. ¿ Qué

decidió hacer? 11. ¿Cuánto quería pagar por la estricnina?
12. ¿Qué prefirió hacer, vivir o suicidarse?

VOCABULARY

la alegría *joy*	la estación *season*
avaro, –a *stingy;* el avaro *miser*	humilde *humble*
el calor *heat*	matarse *to kill oneself*
la cantidad *quantity*	molestarse *to bother*
caro, –a *dear, expensive*	el periódico *newspaper*
cuidar(se) *to take care of*	suicidarse *to commit suicide*
duro, –a *hard*	el tonto *the fool*

COGNATES

What English words and meanings do you recognize
from the following?

la ambición	el droguista	extravagante	necesario, –a
continuar	la estricnina	imposible	preferir
el costo	la existencia	la medicina	el suicidio

OPPOSITES

gastar	ganar	calor	frío
caro	barato	avaro	generoso
vivir	morir	perder	hallar
invierno	verano	vendedor	comprador
noche	día	pequeño	grande

SYNONYMS

humilde	modesto	el costo	el precio
vivir	existir	la vida	la existencia
único	solo	la farmacia	la botica
hasta	aun	continuar	seguir
el periódico	el diario	miserable	mísero

IDIOMS

(a) a menudo *often*
(b) guardar cama *to stay in bed*
(c) convertirse en *to turn into, become*
(d) cansarse de *to tire of*
(e) lo siento mucho *I am very sorry*
(f) ¡ Qué caro...! *How dear...!*
(g) seguir + gerund *to continue to + inf.*

EJERCICIO DE COMPRENSIÓN

Complete the following sentences:

1. Roberto Medina era un hombre muy ——.
2. Nunca quería gastar su ——.
3. Un centavo le parecía ——.
4. Vivía y comía muy ——.
5. No compraba periódicos por no ——.
6. En el verano no iba ni ——.
7. Por fin se cansó de ——.
8. No se suicidó porque la medicina era ——.

ESTUDIO DE PALABRAS

I. Arrange the following words in pairs with like meanings:

1.	2.
humilde	vida
vivir	botica
hasta	modesto
periódico	existir
farmacia	seguir
único	mísero
existencia	solo
continuar	aun
miserable	precio
costo	diario

II. Arrange the following words in pairs with opposite meanings:

1.		2.	
	gastar		grande
	caro		comprador
	vivir		generoso
	invierno		frío
	noche		verano
	calor		día
	avaro		hallar
	pequeño		morir
	perder		ganar
	vendedor		barato

III. Translate into English the following idiomatic expressions:

1. Roberto siempre *guardaba cama*. 2. Todos *se convirtieron* en avaros. 3. *Lo siento mucho*, pero no puedo hacer nada. 4. ¡ *Qué* extravagante es usted! 5. *Seguimos viviendo* muy bien. 6. El avaro dijo eso en *alta voz*. 7. Nunca *se cansaba de* vivir así. 8. *A menudo* veía al médico. 9. *Por eso* fué a ver a su amigo. 10. *Al fin* decidió suicidarse.

UN BUEN DISCÍPULO

Vivía una vez un campesino llamado Juan que poseía una vaca. Un día decidió venderla y la vendió a treinta compradores distintos. De cada uno recibió un duro de depósito.

Al día siguiente [a] todos los compradores se presentaron a reclamar el animal.

— Juan, ¿ dónde está la vaca ? — preguntó uno.

— En el campo.

— Mande usted alguien a buscarla.

— ¿ Para qué ?

— ¿ Cómo que para qué ? Ayer me vendió usted la vaca y recibió un duro de depósito. ¿ No es así ?

Los otros compradores al oír eso empezaron a gritar:

— ¡ A mí también ! ¡ A mí también me la vendió !

Furiosos con la mala fe del campesino, lo cogieron entre todos y empujándolo, lo llevaron a presencia del juez.

El juez tenía un notario muy astuto. Al ver llegar a Juan se acercó a él y le dijo en voz baja:

— ¿ Qué le pasa, amigo ?

El acusado le explicó el caso y preguntó:

— ¿ Puede darme usted un buen consejo ? ¡ Démelo, por Dios !

5 — Vamos a ver,[b] amigo, ¿ cuánto me paga si lo saco de esa dificultad ? Puedo darle un consejo que lo salvará. Pero tendrá usted que pagarme muy bien.

— Déme el consejo — contestó Juan — y de 10 buena gana [c] le daré diez duros.

— Muy bien, acepto. Ahora oiga. El juez le hará muchas preguntas. A cada pregunta responderá usted con un silbido.[1] Ya sabe, un silbido nada más.[d] ¿ Entiende usted ?

15 En ese momento entró el juez en la sala. Los compradores engañados le explicaron el caso. Declararon que el campesino había vendido la vaca a cada uno de ellos, y ahora ni quería entregarla ni quería devolverles el dinero.

20 Entonces el juez preguntó a Juan:

— ¿ Es verdad lo que dicen estos hombres ?

Juan contestó con un fuerte silbido.

— ¡ Hable ! ¿ Vendió usted la vaca o no ?

Juan contestó con otro silbido más fuerte que el 25 primero.

El juez sorprendido e impaciente insistió:

— ¡ Conteste ! ¿ Recibió usted dinero en depósito ?

Otro silbido de Juan.

Ahí interrumpió el notario al juez para decirle:

30 — Señor juez, este pobre hombre nació mudo. No

— ¡Ea, amigo! ¿Y mi dinero? ¿Mis diez duros?

puede contestar de otra manera, sólo con silbidos.
Además, todos estos hombres lo acusan sin razón.

— ¡ Cómo ! — exclamó furioso el juez. — ¿ Este
hombre es mudo? ¡ Y ustedes, hombres sin corazón,
5 se presentan aquí a acusarlo! Merecen ustedes un
castigo severo, pero esta vez pueden marcharse.
La próxima vez los meteré a todos en la cárcel si
vuelven por aquí.

A los reproches del juez, los compradores no
10 contestaron nada. Era inútil, pues comprendieron
que Juan seguiría silbando. Se marcharon con la
cabeza baja. También se marchó el campesino a su
casa. No había ido lejos cuando el notario lo cogió
por un brazo.

15 — ¡ Ea, amigo ! ¿ Y mi dinero? ¿ Mis diez duros? ¿ Qué espera usted para dármelos?

Pero Juan había aprendido admirablemente su
lección. Miró al notario de arriba abajo,[e] le dió dos
o tres silbidos y continuó con toda calma su camino.

¹ *whistle*

CUESTIONARIO

1. ¿ Qué poseía Juan? 2. ¿ Qué decidió hacer? 3. ¿ Quiénes
se presentaron al día siguiente? 4. ¿ Qué había dado cada uno
a Juan? 5. ¿ A dónde llevaron al campesino? 6. ¿ Cómo era
el notario? 7. ¿ Qué le explicó Juan? 8. ¿ Cuánto ofreció
pagarle? 9. ¿ Cuál debía ser siempre la respuesta? 10. ¿ Quiénes explicaron el caso al juez? 11. ¿ Cómo contestó Juan?
12. ¿ Qué dijo el notario al juez? 13. ¿ Cómo se puso el juez?
14. ¿ Quién se marchó también? 15. ¿ Con qué pagó Juan al
notario?

VOCABULARY

el brazo *arm*	empujar *to push*
el campesino *peasant*	engañar *to deceive, cheat*
la cárcel *jail*	fuerte *strong; loud*
el castigo *punishment*	merecer *to deserve*
coger *to seize*	mudo, –a *dumb, mute*
empezar *to begin, start*	la vaca *cow*

COGNATES

What English words and meanings do you recognize from the following?

aceptar	la calma	la dificultad	reclamar
acusar	el caso	el notario	el reproche
admirable	declarar	la presencia	responder
astuto, –a	el depósito	presentarse	severo, –a

OPPOSITES

vender	comprar	acercarse	alejarse
recibir	dar	fuerte	débil
alguien	nadie	acusar	defender
coger	soltar	aquí	allí
siguiente	anterior	lejos	cerca
también	tampoco	la pregunta	la respuesta

SYNONYMS

el discípulo	el alumno	entender	comprender
mandar	enviar	entregar	dar
el caso	el asunto	entonces	luego
la manera	la forma	marcharse	irse
poseer	tener	empezar	principiar

IDIOMS

(a) al día siguiente *on the following day*
(b) vamos a ver *let us see*
(c) de buena gana *willingly, gladly*
(d) nada más *nothing more, only*
(e) de arriba abajo = de pies a cabeza *from head to foot*

EJERCICIO DE COMPRENSIÓN

Tell whether the following statements are true or false. If they are false make the necessary corrections:

1. Un campesino poseía tres vacas.
2. Un día decidió entregarla al juez.
3. Los compradores reclamaron el animal.
4. Juan había recibido treinta duros de depósito.
5. Llevaron al campesino a presencia del juez.
6. El juez tenía un notario muy tonto.
7. El notario engañó a Juan.
8. Iba a recibir diez duros por el consejo.
9. Juan explicó el caso al juez.
10. El notario dijo que Juan había nacido mudo.
11. Juan se marchó sin pagar al notario.
12. Juan había aprendido muy bien su lección.

ESTUDIO DE PALABRAS

I. Arrange the following words in pairs with like meanings:

1.	2.
discípulo	luego
mandar	irse
manera	comprender
entender	entregar
dar	forma
entonces	enviar
marcharse	alumno

II. Arrange the following words in pairs with opposite meanings:

1.		2.	
vender		nadie	
recibir		aflí	
alguien		dar	
coger		anterior	
siguiente		alejarse	
aquí		débil	
acercarse		defender	
fuerte		cerca	
acusar		comprar	
lejos		soltar	

III. Translate the following sentences, using the idiomatic expressions found between parentheses:

1. Let us see if John will pay (*vamos a ver*).   2. He received thirty dollars, no more (*nada más*).   3. The judge looked at me from head to foot (*de arriba abajo*).   4. We shall pay the dollar willingly (*de buena gana*).   5. We paid for the cow upon receiving it (*al recibir*).   6. The boy works and talks at the same time (*a la vez*).   7. The buyers approached the judge (*acercarse a*). 8. For Heaven's sake, you must not sell it! (*¡ Por Dios!*)   9. On the following day he paid twenty dollars (*al día siguiente*).

ASÍ SE GANABA LA VIDA

UNA noche alguien llamó a una fonda [1] de Bogotá, capital de Colombia. Era un hombre seguido de su perro. El animal era negro, bastante grande y tenía ojos muy inteligentes. Movía la cola [2] cada vez que su amo lo miraba. Por lo visto,[a] los dos eran muy buenos amigos. El hombre se sentó a una mesa y llamó al camarero.[3]

— Un bistec con patatas fritas — le dijo.

Se retiraba el camarero, cuando el hombre añadió:

— ¿ Qué es eso ? No ha preguntado usted a mi perro lo que desea.

— ¿ Preguntar a su perro, señor ?

El perro levantó la cabeza y replicó:

— Yo deseo también un bistec. Mejor será traerme dos, porque tengo mucha hambre.[b] No deseo patatas fritas, no me gustan. Las cosas fritas me hacen daño.[c]

El camarero, lleno de asombro, se quedó con la

boca abierta. No podía creer lo que estaba oyendo: ¡un perro que hablaba! Se quedó mirándolo unos minutos y por fin se fué a la cocina.

En una mesa allí cerca estaba sentado un hombre que tenía mucho dinero, pero muy poca inteligencia. 5 Al oír hablar al perro dejó caer [d] de las manos el tenedor [4] y el cuchillo.[5] Se levantó y se acercó al dueño del animal.

— Perdone usted, caballero; he oído hablar a su perro y estoy curioso de saber si contesta a todo lo 10 que le preguntan.

— ¡Por supuesto! ¿Por qué no prueba usted?

En ese momento, volvió el camarero seguido del dueño de la fonda, y dijo éste:

— Mi camarero está loco, señor. Me ha dicho 15 que tiene usted un perro que habla.

— No está loco, al contrario,[c] dice la pura verdad — contestó el amo del perro. — Este señor también lo ha oído hablar. ¿No es así?

Y mientras los dos hombres hablaban, volvió a 20 hablar también el perro preguntando:

— ¿Dónde está mi carne? ¿No sabe usted que tengo hambre?

— ¡Caramba! ¡Cielo santo! [6] ¿Qué oigo? ¡Es verdad que habla el perro! — exclamó el dueño de 25 la fonda. Y volviéndose hacia el camarero le dijo: — Traiga inmediatamente la orden del perro. Debemos tratar muy bien a un animal sabio como éste.

Al ver el rico las nuevas pruebas del extraordinario talento del perro exclamó: 30

— ¡ Qué perro inteligente ! ¿ Quiere vendérmelo?
Le pagaré cualquier precio por él.

— No vendo a mi perro. Yo no tengo ni familia
ni amigos, no tengo nada más que [f] mi perro. Usted
5 comprenderá que mi perro y yo somos los mejores
amigos del mundo. El uno no puede vivir sin el
otro, tanto nos queremos. ¿ Comprende usted por
qué no quiero vender a mi perro?

— Todo lo que dice mi amo es verdad — añadió el
10 perro. — No quiero ser vendido, yo quiero mucho a
mi amo. No quiero separarme de él.

Volvió el camarero, puso un bistec en la mesa para
el hombre y dos para su perro en el suelo. Hombre
y perro se pusieron a [g]
15 comer con buen ape-
tito.

— Camarero, trái-
game usted una bo-
tella de vino — dijo
20 el dueño del perro.

— Para mí un vaso
de agua, — añadió el
perro — tengo mucha
sed.[b]

25 — ¡ Véndame usted el perro, véndamelo, caballero !
— insistió el rico. — Quiero comprarlo.

— ¡ No insista usted, por Dios ! Es una horrible
tentación, porque apenas tengo dinero para vivir.
Pero, si decido venderlo, ¿ cuánto me ofrece usted
30 por el animal? Para mí es un tesoro, representa

una fortuna y, créame usted, hago un **enorme** sacrificio si lo vendo. Ahora, si usted puede darme mil pesos por él los aceptaré.

El rico pagó los mil pesos de buena gana. Ese precio tan alto no representaba nada para él, si podía poseer aquel maravilloso perro.

El hombre se puso el dinero en el bolsillo, tomó el sombrero y se preparó para ^h marcharse. El perro se levantó también para irse con su amo, pero éste le dijo:

— ¡ Quédate aquí con este caballero ! Es tu nuevo dueño.

— ¡ Qué cruel es usted ! — exclamó el perro con mucha tristeza. — ¡ Nunca esperaba yo eso de usted ! Ha vendido a su mejor amigo. Ahora, para vengarme de lo que me ha hecho, no pronunciaré otra palabra durante el resto de mi vida. ¡ He perdido la fe en todos los hombres !

El hombre salió de la fonda. El nuevo dueño del perro trató de hacerle hablar, pero todo fué en vano. El perro no volvió a pronunciar una palabra. El rico llamó entonces al dueño de la fonda y le dijo:

— ¡ Qué maravilloso animal ! No sólo no quiere hablar sino que también sabe mantener su palabra. Por ser un perro tan fiel, voy a cuidarlo como un hijo toda su vida.

Por supuesto que el vendedor del perro era un ventrílocuo: y así se ganaba la vida.ⁱ

---

¹ *inn*   ³ *waiter*   ⁵ *knife*

² *tail*   ⁴ *fork*   ⁶ *Heavens!*

CUESTIONARIO

1. ¿Qué noche era? 2. ¿Dónde estaba la fonda? 3. ¿Quién llamó a la puerta? 4. ¿Qué tal era el perro? 5. ¿Qué pidió el hombre? 6. ¿Cuántos bisteques quería el perro? 7. ¿Quién estaba sentado cerca de allí? 8. ¿Qué hizo al oír hablar al perro? 9. ¿Cuándo volvió a hablar el perro? 10. ¿Qué exclamó entonces el rico? 11. ¿Qué más pidió el perro? 12. ¿En qué insistió el rico? 13. ¿Cuánto pagó el rico por el perro? 14. ¿Cómo iba a cuidar al perro? 15. ¿Qué era el vendedor del perro?

VOCABULARY

el agua f. *water*	nuevo, –a *new*
el amo *owner*	ofrecer *to offer*
añadir *to add*	probar *to try*
la carne *meat*	seguir *to follow*
esperar *to expect*	el tesoro *treasure*
frito, –a *fried*	traer *to bring*
llamar *to knock; call*	el vaso *glass*

COGNATES

What English words and meanings do you recognize from the following?

el apetito	mover	pronunciar	separarse
el bistec	la orden	representar	el talento
cruel	la patata	el resto	la tentación

OPPOSITES

inteligente	torpe	sabio	ignorante
el norte	el sur	separarse	unirse
negro	blanco	mucho	poco
levantar	bajar	la verdad	la mentira
abierto	cerrado	aceptar	rechazar

SYNONYMS

llamar	tocar	pronunciar	decir
el amo	el dueño	mantener	cumplir
retirarse	irse	el camarero	el mozo
desear	querer	volver	regresar
el daño	el mal	ahora	ya
poseer	tener	sino	pero

IDIOMS

(a) por lo visto *apparently*
(b) tener hambre (sed) *to be hungry (thirsty)*
(c) hacer daño a *to harm*
(d) dejar caer *to drop*
(e) al contrario *on the contrary*
(f) no tener nada más que *to have only*
(g) ponerse a + inf. *to begin + inf.*
(h) prepararse para (a) *to get ready to*
(i) ganarse la vida *to earn one's living*

EJERCICIO DE COMPRENSIÓN

Complete the following sentences with the proper words:

1. Allí cerca estaba un hombre
2. El camarero no podía creer
3. El dueño y el perro eran
4. El hombre sólo tenía
5. Vendía al perro haciendo
6. El perro no quería
7. El perro y su amo comieron
8. Era un hombre seguido
9. El rico exclamó al oírlo:
10. Quería comprar el perro
11. Alguien llamó a la
12. El perro no volvió a

a. ese sabio perro.
b. un gran sacrificio.
c. con mucho apetito.
d. ser vendido.
e. decir una palabra.
f. « ¡ Qué perro sabio ! »
g. puerta de una fonda.
h. muy buenos amigos.
i. muy rico.
j. lo que oía.
k. porque hablaba.
l. de su perro

ESTUDIO DE PALABRAS

I. Arrange the following words in pairs with like meanings:

1.	amo	2.	mal
	retirarse		querer
	desear		irse
	daño		cumplir
	poseer		decir
	sino		mozo
	pronunciar		regresar
	mantener		pero
	camarero		tener
	volver		dueño

II. Arrange the following words in pairs with opposite meanings:

1.	inteligente	2.	mentira
	negro		rechazar
	levantar		ignorante
	abierto		poco
	sabio		unirse
	separarse		bajar
	mucho		cerrado
	verdad		blanco
	aceptar		torpe

III. Translate into English the following idiomatic expressions:

1. Por lo visto el perro es inteligente. 2. El perro tiene mucha hambre y mucha sed. 3. Las cosas fritas hacían daño al hombre. 4. El hombre dejó caer el vaso al suelo. 5. Al contrario no quiero vender a mi perro. 6. No tengo nada más que mi perro. 7. El perro se puso a comer con apetito. 8. Nos preparamos para salir. 9. Se ganaba la vida vendiendo perros.

MÁS SABIO QUE EL OBISPO

Cuenta la historia de España que el rey don Pedro I de Castilla era un monarca cruel pero justo. Vivía durante su reinado un obispo que gastaba mucho dinero y se daba la gran vida.[a] Todo el país envidiaba la riqueza del obispo. Todo el mundo censuraba su manera de vivir,[1] pues habitaba un hermoso palacio y tenía cien caballeros y muchos criados a su servicio.

Cuando el rey oyó decir cómo vivía el obispo, y la enorme cantidad de dinero que gastaba, se irritó sobremanera [2] y lo mandó llamar.[b] Llegó al palacio real el pobre obispo temblando de miedo. Sabía perfectamente bien que el rey era cruel; y que cuando llamaba a una persona no era para nada bueno.

Al verlo, el rey don Pedro le dijo:

— ¿Qué es lo que oigo, señor obispo? Mis nobles me dicen que usted vive como un rey y hasta mejor que yo. ¿No sabe usted que ningún hombre tiene el derecho de vivir mejor que su rey?

— Perdóneme, Su Majestad, — respondió el obispo
— debo decirle que solamente gasto lo mío.[3] Todo
el dinero que tengo me pertenece y lo gasto con mis
amigos. No puede Su Majestad decir que es un
5 crimen tener casa abierta para nuestros amigos.

— Eso no es un crimen, — contestó el monarca —
pero sí es un crimen ¡ y muy grande! vivir mejor que
yo que soy el rey. Y hasta dicen algunos que también
quiere usted ser rey. Ahora bien,[c] vamos a ver si
10 usted merece el alto puesto que ocupa o si sólo sabe
gastar [d] dinero. Voy a hacerle tres preguntas y le
doy diez días para contestarlas. Primera: ¿ cuál
es la distancia entre la tierra y el sol? Segunda:
¿ cuánto tiempo [4] viviré yo? Tercera: ¿ en qué
15 pienso que es completamente falso? Si usted no
contesta esas preguntas a mi gusto, le haré cortar
la cabeza en el acto.[e]

No es menester decir que el pobre obispo quedó
muy asustado al oír esto. Sabía muy bien que don
20 Pedro era capaz de quitarle la vida [f] si no contestaba
bien.

Volvió el buen obispo muy triste a su palacio.
Pasaron ocho días y examinó muchos libros. Pero
todo fué en vano, pues no encontraba las respuestas.
25 No pudo calcular qué distancia había entre la tierra
y el sol, ni cuánto tiempo viviría el rey, ni en qué
pensaba éste que era completamente falso.

Pensando y pensando en los tres problemas, llegó
el día en que debía volver al palacio del rey; y el
30 pobre obispo no había hallado aún solución alguna.

Se despidió de [g] sus amigos y criados antes de ir al palacio real dispuesto a morir. Ya salía cuando encontró a su viejo pastor, a quien no había visto por largo tiempo. El pastor, hombre listo y atrevido, al oír hablar de las tres preguntas, dijo al obispo: [5]

— Pierda usted cuidado [h]; yo creo poder ayudarlo en eso. ¿ No ha oído usted decir que algunas veces [i] un tonto puede enseñar a un sabio? Todo el mundo dice que yo me parezco mucho a usted. Ahora bien, [10] si me presta su hábito, yo iré en su lugar a contestar las preguntas del rey. Y si no tengo éxito [j] al menos [k] puedo morir en lugar de usted. Su vida vale mucho más que la mía.

Al verlo tan resuelto, el obispo no dudó un momento [15] en que el pastor había sido mandado por Dios para salvarlo.

Al día siguiente, salió el pastor vestido con el hábito del obispo. Llegó al palacio real, lo anunciaron y pasó inmediatamente porque el rey lo esperaba [20] con impaciencia.

En la gran sala del palacio estaba reunida toda la corte. En el trono estaba sentado el monarca con cara de vinagre. Hubo un profundo silencio y el rey tomó la palabra.[l] [25]

— Me alegro de verlo,[m] reverendo obispo — dijo. — Llega usted a tiempo, pero le advierto de nuevo que debe contestar las tres preguntas a mi gusto. Si no sabe hacerlo le mandaré cortar la cabeza sin perder un momento. [30]

— Muy bien, Su Majestad, — contestó el pastor — estoy listo a contestar las tres preguntas.

— Pues bien, — replicó el rey sonriendo con malicia — conteste la primera pregunta: ¿ cuál es la distancia entre la tierra y el sol?

El pastor meditó un momento y luego respondió:

— La distancia entre la tierra y el sol es la misma que entre el sol y la tierra. Es decir, novecientas mil sesenta y tres leguas, ni una más, ni una menos. Y si Su Majestad no me cree puede hacerla medir.

Como medir esa distancia era completamente imposible, el rey tuvo que aceptar la respuesta como correcta.

— No está mal, veo que usted es muy ocurrente [5] — dijo don Pedro con una fría sonrisa. — Ahora vamos,[6] conteste la segunda pregunta: ¿ cuánto tiempo viviré yo?

— Su Majestad vivirá hasta el día de su muerte; — respondió el pastor — y morirá al respirar por última vez, ni un momento antes, ni un momento después.

— Señor obispo, — dijo el rey con cara muy seria — usted es muy sabio. Pero, ahora viene la más difícil de las tres preguntas: ¿ en qué pienso yo que es completamente falso?

— Su Majestad, esa respuesta no es difícil. Al contrario, es muy fácil. Su Majestad cree que yo soy el obispo y, como debo decirle la verdad, no lo soy. No soy más que [n] un humilde pastor y un gran admirador de Su Majestad.

Al oír esto cambió la expresión del rostro de don Pedro. Hubo un momento de silencio seguido por una explosión de risa de parte del ° rey, imitada por todos sus cortesanos.[7] Don Pedro, muy satisfecho con el ingenio del pastor, quiso hacerlo obispo; pero 5 él no aceptó porque no sabía ni leer ni escribir.

— En ese caso, — añadió el rey — le daré cuatro monedas de oro todas las semanas durante toda su vida; y, al mismo tiempo, puede llevar a nuestro buen obispo mi perdón. 10

[1] *way of living*   [4] *how long*   [6] *Come now*
[2] *excessively*   [5] *witty*   [7] *courtiers*
[3] *what is mine*

CUESTIONARIO

1. ¿Cómo era el rey don Pedro I? 2. ¿Quién vivía durante su reinado? 3. ¿Qué tal vivía el obispo? 4. ¿De quién oyó hablar el rey? 5. ¿A quién mandó llamar? 6. ¿Por qué temblaba el obispo? 7. ¿De quién era el dinero que gastaba? 8. ¿Cuántas preguntas iba a hacerle el rey? 9. ¿Cuántos días le daba para contestarlas? 10. ¿Cómo quedó al oír eso? 11. ¿Qué no podía encontrar? 12. ¿A quién encontró antes de ir al palacio? 13. ¿A quién se parecía el pastor? 14. ¿Cómo podía ayudar al obispo? 15. ¿A qué estaba listo el pastor? 16. ¿Por qué aceptó el rey la primera respuesta? 17. ¿Cuánto tiempo viviría el rey? 18. ¿Cuál era la pregunta más fácil? 19. ¿Qué iba a recibir el pastor cada semana? 20. ¿Qué llevó al obispo?

VOCABULARY

advertir *to warn*　　　　capaz *capable*
atrevido, –a *daring*　　el ingenio *wit*
la cantidad *quantity*　medir *to measure*

el miedo *fear*	resuelto, –a *determined*
el obispo *bishop*	la risa *laughter*
el pastor *shepherd*	salvar *to save*
pertenecer *to belong*	la sonrisa *smile*
el puesto *place*	temblar *to tremble*

COGNATES

What English words and meanings do you recognize from the following?

el admirador	el crimen	irritarse	meditar
anunciar	envidiar	justo, –a	el perdón
censurar	la historia	la majestad	el permiso

OPPOSITES

justo	injusto	la muerte	el nacimiento
conocer	ignorar	respirar	ahogarse
hermoso	feo	serio	alegre
resuelto	dudoso	falso	verdadero
profundo	leve	humilde	orgulloso
aceptar	rechazar	el perdón	el castigo

SYNONYMS

el monarca	el rey	resuelto	decidido
hermoso	bello	dispuesto	listo
el criado	el sirviente	aceptar	recibir
el crimen	el delito	imitar	copiar
el puesto	el lugar	menester	necesario

IDIOMS

(a) darse la gran vida *to live very well*
(b) mandar llamar a *to send for*

(c) ahora bien *now then, well then*
(d) saber + inf. *to know how + inf.*
(e) en el acto = en seguida *at once*
(f) quitar la vida a *to take the life of*
(g) despedirse de *to take leave of, say good-by to*
(h) perder cuidado *not to worry*
(i) algunas veces *sometimes*
(j) tener éxito *to be successful*
(k) al menos *at least*
(l) tomar la palabra *to speak, take the floor*
(m) alegrarse de + inf. *to be glad + inf.*
(n) no ser más que *to be only*
(o) de parte de *on the part of, from*

EJERCICIO DE COMPRENSIÓN

Complete each one of the following sentences:

1. Cuenta la historia que don Pedro era ——.
2. Un obispo muy rico vivía durante ——.
3. El rey oyó decir que el obispo ——.
4. El dinero que gastaba el obispo ——.
5. No pudo hallar las respuestas a ——.
6. Se despidió de sus amigos antes ——.
7. Al día siguiente salió el pastor para ——.
8. El pastor no era el ——.
9. Don Pedro quiso hacer obispo al ——.
10. La risa del rey fué imitada por ——.
11. Todo el mundo envidiaba la riqueza del ——.
12. Los nobles decían que el obispo ——.
13. El obispo tenía que contestar ——.
14. Encontró a su viejo pastor cuando ——.
15. El pastor se parecía mucho a ——.
16. En la sala de la corte estaba ——.
17. Don Pedro se quedó satisfecho porque ——.

ESTUDIO DE PALABRAS

I. Arrange the following words in pairs with like meanings:

1.	2.
monarca	bello
hermoso	copiar
criado	recibir
crimen	rey
puesto	decidido
resuelto	listo
dispuesto	lugar
aceptar	delito
imitar	necesario
menester	sirviente

II. Arrange the following words in pairs with opposite meanings:

1.	2.
justo	rechazar
conocer	orgulloso
hermoso	nacimiento
resuelto	ahogarse
profundo	feo
muerte	leve
respirar	alegre
serio	injusto
aceptar	verdadero
falso	castigo
humilde	dudoso
perdón	ignorar

III. Match the following idiomatic expressions with the correct translation:

1. No era más que el pastor.
2. « Pierda cuidado, amigo mío. »

a. He knew how to answer well.
b. The man was successful.
c. He sent for the bishop.

3. Se alegró de verlo.
4. Contestó en el acto.
5. No le quitó la vida.
6. « Ahora bien, contésteme. »
7. Mandó llamar al obispo.
8. Al menos sabe hablar.
9. Algunas veces lo veía.
10. Sabía contestar bien.
11. El hombre tuvo éxito.
12. Se despidieron del rey.

d. Sometimes he saw him.
e. They took leave of the king.
f. "Don't worry, my friend."
g. He was only the shepherd.
h. At least he knows how to speak.
i. He did not take his life.
j. He answered at once.
k. He was glad to see him.
l. "Now then, answer me."

DOS COMIDAS GRATIS

CIERTO día llegó un viajero a Caracas, bella capital de Venezuela. El hombre entró en una posada [1] y, después de sentarse en una mesa, preguntó al posadero [2]:

5 — ¿ Puede usted servirme algo de comer [a] por el dinero que tengo?

El posadero, haciendo una profunda reverencia, dijo al viajero que estaba completamente a sus órdenes. [b] Con mucha cortesía le respondió:

10 — Sí, señor, puede usted pedir cualquier cosa; puede usted escoger los mejores platos del día, si quiere.

Y así lo hizo el viajero.

Durante la comida, que en verdad [c] era muy
15 buena, el posadero preguntó al viajero:

— ¿ No le gustaría una botella de buen vino?

— Acepto el vino si puedo comprarlo con el dinero que tengo — contestó el huésped.

Al concluír la comida el posadero preguntó al hombre de nuevo:

— ¿ Desearía el señor fumar un buen cigarro?

— Con mucho gusto,[d] pero sólo si puedo pagarlo con el dinero que tengo — respondió el cliente. 5

Cuando el viajero terminó de comer,[e] el posadero le entregó la cuenta, que era de cinco pesos, aunque la comida valía mucho más. El hombre al recibirla ni siquiera [f] la miró. Sólo sacó del bolsillo una moneda de un peso y se la entregó al posadero. 10 Como es natural, éste se puso muy irritado y le preguntó:

— ¿ Qué es esto? ¿ Me toma usted por un tonto? Primero pide usted los mejores platos del día, una botella de excelente vino y un buen cigarro y luego 15 me da solamente una moneda de un peso. Eso es un insulto. Usted sabe muy bien que la comida vale por lo menos [g] diez pesos.

— No, señor, no es un insulto, usted está equivocado. Yo le pregunté varias veces si podía pedir 20 las cosas que usted acaba de mencionar con el dinero que tenía. Y esta moneda de un peso es todo el dinero que tengo. Ahora bien, ¿ quiere usted aceptarla o no?

— ¿ Cómo voy a aceptar un peso por una cuenta 25 de cinco? Me pide usted lo imposible. O me paga o llamo a un policía.

El posadero, perdida la paciencia y más y más furioso, iba ya a pegar al viajero cuando le vino una idea [h] admirable. 30

— Oiga, amigo, — le dijo — por esta vez no le hago nada, si usted hace lo que voy a pedirle. Y no sólo le regalaré la comida y lo perdonaré sino que[1] le daré también un billete de diez pesos. La única cosa que usted debe hacer es ir a la posada del frente, cuyo dueño es mi rival, y hacer allí lo que ya ha hecho aquí: comer y no pagar. Pues bien, ¿ acepta usted o no ?

El hombre tomó el dinero, se lo puso en el bolsillo, dió las gracias al[2] posadero y, al llegar a la puerta, se volvió para decirle:

— Me gustaría mucho complacerlo, pero ya he comido en la posada de su rival, y fué él quien me mandó aquí.

[1] *inn*　　　　[2] *innkeeper*

CUESTIONARIO

1. ¿ Quién llegó a Caracas? 2. ¿ En dónde entró? 3. ¿ Qué preguntó? 4. ¿ Qué respondió el posadero? 5. ¿ Qué tal era la comida? 6. ¿ Qué aceptó el viajero? 7. ¿ Cuándo entregó el posadero la cuenta al viajero? 8. ¿ Cuánto era la cuenta? 9. ¿ Qué hizo el hombre al recibirla? 10. ¿ Qué sacó del bolsillo? 11. ¿ Cómo se puso el posadero? 12. ¿ Cuánto dinero tenía el viajero? 13. ¿ Qué idea le vino al posadero? 14. ¿ Qué debía hacer el viajero? 15. ¿ En dónde había comido ya?

VOCABULARY

el bolsillo *pocket*	concluír *to finish*
la botella *bottle*	el dinero *money*
la comida *dinner*	escoger *to select*

fumar *to smoke*	mencionar *to mention*
gustar *to like*	pegar *to strike*
el huésped *guest*	regalar *to treat to*

COGNATES

What English words and meanings do you recognize from the following?

aceptar	irritado, –a	el plato	la reverencia
la cortesía	mencionar	el policía	servir
furioso, –a	perdonar	profundo, –a	terminar

OPPOSITES

bello	feo	el gusto	el disgusto
algo	nada	luego	antes
bueno	malo	terminar	comenzar
concluír	empezar	perder	hallar

SYNONYMS

concluír	terminar	insulto	ofensa
entregar	dar	siquiera	aun
luego	después	pegar	golpear
mandar	enviar	cigarro	tabaco

IDIOMS

(a) algo de comer *something to eat*
(b) estar a las órdenes de *to be at one's service*
(c) en verdad *indeed, really*
(d) con mucho gusto *with great pleasure, quite willingly*
(e) terminar de + inf. *to stop + pres. part.*
(f) ni siquiera *not even*
(g) por lo menos = al menos *at least*

(h) venir una idea a *to get an idea*
(i) no sólo ... sino que *not only ... but also*
(j) dar las gracias a *to thank*

EJERCICIO DE COMPRENSIÓN

Complete the following statements by supplying the missing word or phrase:

1. Al entrar el viajero en la posada se sentó ——.
2. El posadero estaba completamente a ——.
3. Entregó la cuenta al viajero al ——.
4. Al recibirla el viajero ni siquiera la ——.
5. El posadero preguntó al viajero si quería ——.
6. No aceptó el dinero porque sólo era ——.
7. Lo perdonaba si hacía lo mismo con ——.
8. El viajero dió las gracias al ——.
9. Ya había comido en la ——.
10. Recibió dos comidas gratis de los ——.
11. El hombre no pudo complacer a ——.

ESTUDIO DE PALABRAS

I. Arrange the following words in pairs with like meanings:

1. concluír	2. dar
entregar	tabaco
tener	aun
luego	sólo
mandar	terminar
insulto	ofensa
siquiera	golpear
pegar	enviar
cigarro	poseer
solamente	después

II. Arrange the following words in pairs with opposite meanings:

1. bello
   algo
   bueno
   concluír
   gusto
   luego
   terminar
   perder
   llegar

2. antes
   disgusto
   salir
   comenzar
   feo
   empezar
   malo
   hallar
   nada

III. Translate the following sentences, using the idiomatic expressions found between parentheses:

1. "I am at your service," said the innkeeper (*estar a las órdenes de*). 2. This meal is indeed very good (*en verdad*). 3. He stopped speaking after two minutes (*terminar de*). 4. I will do it with great pleasure (*con mucho gusto*). 5. He did not even talk to the innkeeper (*ni siquiera*). 6. Not only did they eat but they also drank (*no sólo . . . sino que*). 7. I want something to eat and something to drink (*algo de*). 8. I got an idea of going there (*venir una idea a*). 9. I shall thank my friend for the cigar (*aar las gracias*). 10. The wine is worth at least six pesos (*por lo menos*).

MÁS VALE SABER QUE VER

Había una vez [a] un ciego llamado Nicolás que había perdido la vista [b] a los treinta años de edad. No pudiendo continuar en su oficio de carpintero, comenzó a pedir limosna a la puerta de una iglesia.

Una noche escondió en el corral de su casa, debajo de una piedra, la suma de cien duros. Hizo esto sin precaución, creyendo no ser observado. Pero mientras lo hacía un tal Luis, carnicero,[1] a quien conocía, lo vió esconder el dinero.

Cuando el ciego se marchó, se dirigió Luis al lugar y notó una piedra recién movida. La levantó, halló el dinero y lo sacó. Luego puso en su sitio la piedra como antes y se marchó a su casa.

A los tres días [c] el ciego quiso esconder unos duros más. Fué al corral, levantó la piedra y recibió una terrible sorpresa: su dinero había desaparecido. Pero volvió a colocar la piedra y se fué a su cuarto, sin decir nada a nadie.

Trató de olvidar su desgracia, pero no podía. Había perdido en un momento el fruto de tanto tiempo y de tanta paciencia. Después de mucho pensar le vino una buena idea. Llamó a su hijo de diez años y le dijo:

— Vamos a la puerta de la iglesia. Te quedarás a mi lado y observarás a las personas que pasan. Si ves a alguien que me mira más que los otros, fíjate bien en [d] él.

— Sí, papá, así lo haré — contestó el niño.

Salieron los dos juntos. El niño estuvo muy atento toda la mañana, según [2] las instrucciones de su padre. Al llegar a casa, Nicolás preguntó a su hijo:

— Dime, ¿ has visto algo extraño?

— Papá, yo no he visto sino a un solo hombre que lo miraba y se reía, como burlándose.[e]

— ¿ Quién era?

— No sé cómo se llama, pero sé que es carnicero y que vive cerca de la iglesia.

— Acompáñame a su tienda.

Así lo hizo el hijo. Cuando el padre oyó hablar al carnicero con la gente de la tienda, reconoció a su amigo Luis. El ciego le dijo entonces que quería hablarle en secreto sobre un asunto muy importante. El carnicero lo llevó a su cuarto y le preguntó:

— ¿ Qué buen viento lo trae por acá, Nicolás? Dígame en qué puedo servirle.

— Amigo Luis, vengo a hablar con usted — respondió el ciego — con toda confianza. Usted sabe que perdí la vista y que tengo que pedir limosna para ganarme la vida. Después de largo tiempo y de muchos sacrificios he reunido al fin doscientos duros. Tengo escondidos ciento en un lugar seguro y los otros ciento los tiene un amigo, quien me los devolverá dentro de ocho días.

Ahora bien, quiero pedirle un consejo. ¿ Le parece una buena idea poner los otros cien duros en el mismo lugar, donde tengo ya ciento ? ¿ Cree usted que haré bien en ponerlos allí o debo guardarlos en mi casa ?

— No, amigo Nicolás, en su casa no. Allí pueden robárselos. Póngalos en el mismo lugar donde están los otros ciento, si usted cree que el lugar es seguro.

El carnicero vió la oportunidad de robar al ciego los otros cien duros. Como quería evitar las sospechas de Nicolás, se dirigió en seguida al corral y puso en su sitio el dinero robado. Naturalmente, el ladrón pensaba que los cien duros de que hablaba el ciego eran los que guardaba debajo de la piedra.

Nicolás, adivinando los cálculos del carnicero, fué más tarde[3] al corral y encontró su dinero. Unos días después Luis fué a buscar los doscientos duros

y en vez del [4] dinero encontró un pedazo de cuerda
y una tarjeta que decía:

« ¡ Cayó usted en la trampa,[5] grandísimo ladrón !
La cuerda es para ahorcarse,[6] como merecen los
ladrones como usted. Gracias por enseñarme que 5
más vale [f] saber que ver. »

[1] *butcher*	[3] *later*	[5] *trap*
[2] *according to*	[4] *instead of*	[6] ahorcarse *to hang oneself*

CUESTIONARIO

1. ¿ Qué había perdido Nicolás? 2. ¿ Qué no pudo continuar?
3. ¿ Qué comenzó a hacer? 4. ¿ Qué escondió en el corral?
5. ¿ Quién lo vió? 6. ¿ Qué hizo Luis? 7. ¿ Qué sorpresa
recibió Nicolás a los tres días? 8. ¿ Qué idea le vino? 9. ¿ A
quién reconoció el ciego? 10. ¿ Qué le dijo? 11. ¿ Qué oportunidad vió el carnicero? 12. ¿ Qué hizo en seguida? 13. ¿ Qué
adivinó el ciego? 14. ¿ Qué encontró? 15. ¿ Qué encontró
Luis?

VOCABULARY

adivinar *to guess*	merecer *to deserve*
el ciego *the blind man*	el oficio *trade*
colocar *to put*	olvidar *to forget*
la cuerda *rope*	recién adv. *recently*
la edad *age*	robar *to steal*
esconder *to hide*	la sospecha *suspicion*
guardar *to keep*	la tarjeta *card*
juntos, –as *together*	la vista *sight*

COGNATES

What English words and meanings do you recognize
from the words at the top of page 98?

aumentar	el fruto	observar	el sacrificio
el cálculo	importante	la oportunidad	la sorpresa
continuar	mover	la precaución	la suma

OPPOSITES

ganar	gastar	juntos	separados
continuar	cesar	extraño	corriente
aumentar	disminuír	debajo de	encima de
conocer	ignorar	esconder	encontrar
antes	después	nadie	alguien

SYNONYMS

debajo de	bajo	colocar	poner
continuar	seguir	notar	observar
el lugar	el sitio	dirigirse	marcharse
levantar	alzar	nadie	ninguno
terrible	horrible	el sacrificio	la privación

IDIOMS

(a) había una vez *there was once*
(b) perder la vista *to lose one's sight*
(c) a los tres días *after three days*
(d) fijarse en *to notice, look carefully*
(e) burlarse de *to make fun of, poke fun at*
(f) más vale *it is better*

EJERCICIO DE COMPRENSIÓN

Tell whether the following statements are true or false:

1. Fué a ver a su amigo el mismo día.
2. El ciego no halló su dinero.
3. Nicolás cayó en la trampa.
4. Luis halló el dinero bajo la piedra.
5. Se ganaba la vida pidiendo limosna.

6. Pedía limosna a la puerta de una iglesia.
7. El ciego del cuento se llamaba Juan.
8. Nicolás encontró su dinero en el corral.
9. Luis y el ciego eran buenos amigos.
10. El carnicero escondió cien duros.
11. Nicolás tenía trescientos duros.
12. El ciego y su hijo salieron juntos.

ESTUDIO DE PALABRAS

I. Arrange the following words in pairs with like meanings:

1.
debajo de
continuar
lugar
levantar
terrible
notar
colocar
dirigirse
nadie
sacrificio

2.
marcharse
privación
poner
observar
bajo
alzar
ninguno
horrible
sitio
seguir

II. Arrange the following words in pairs with opposite meanings:

1.
ganar
continuar
aumentar
conocer
antes
juntos
extraño
debajo de
esconder
nadie

2.
después
ignorar
disminuír
gastar
alguien
encima de
encontrar
corriente
separados
cesar

III. Match the following idomatic expressions:

1. Se fijó en el hombre.	a. He called again.
2. A los tres días.	b. I make fun of him.
3. Más vale saber.	c. He noticed the man.
4. Perdí la vista.	d. After three days.
5. Volvió más tarde.	e. There was once.
6. Le vino una idea.	f. I lost my sight.
7. Se gana la vida.	g. It is better to know
8. Yo me burlo de él.	h. He returned later.
9. Volvió a llamar.	i. He earns his living.
10. Había una vez.	j. He got an idea.

NOCHE DE AGONÍA

JUAN era un campesino vasco con músculos de hierro. Como había pocos en la aldea con la fuerza de Juan, inspiraba el respeto y la admiración de todos.

Una tarde, mientras reunía sus vacas en el bosque, vió bajar de un árbol un enorme oso. Juan no perdió la cabeza [a]; al contrario, corrió hacia el árbol del cual bajaba el oso, pero por [1] el lado opuesto. Cuando las patas de atrás [2] del animal ya iban a tocar el suelo, Juan le cogió las patas de adelante. El oso gruñó,[3] mostró los dientes y trató de librarse,[b] pero sin éxito. Las patas del animal estaban en poder de las enormes manos del campesino, quien las sostenía firmes contra el tronco del árbol. El oso no podía hacerle daño, estando el árbol entre los dos.

Si la posición del oso era crítica la de Juan era peor. Si lo dejaba libre el oso no le perdonaría la broma. ¿Qué podía hacer?

El sol ya se había puesto y la noche empezaba a
cubrir el bosque con su negro manto. Juan ya no
tenía esperanza de librarse de su enemigo. De
repente,[e] recordó que la casa de su amigo Antonio
5 estaba a poca distancia. Empezó a gritar con toda
la fuerza de su voz, pero todo fué en vano. Nadie
apareció. Y así, Juan tuvo que pasar la noche cara
a cara con aquel formidable animal.

El oso seguía gruñendo y haciendo esfuerzos para
10 librarse de su enemigo; pero Juan no soltaba a su
adversario. Pasó así toda la noche.[d] Por fin,
después de una noche de agonía, salió el sol y halló
a Juan sosteniendo aún las patas del oso.

Ya perdía toda esperanza cuando vió salir humo
15 de la chimenea de la casa de Antonio. Sin perder
tiempo, empezó a gritar otra vez; y su alegría fué
grande cuando vió a su amigo salir de su casa. Con
paso lento éste se dirigió hacia Juan, con su hacha [4]
al hombro.

20 — Antonio, ¿ no me oyó usted anoche? ¿ Por
qué no contestó?

— ¡ Ah! Recuerdo que oí algunos gritos. Pero
estaba tan cansado que no di importancia a lo que
pasaba fuera de mi casa. ¡ Claro está,[e] no sabía que
25 era usted! Pero, hombre, ¿ qué hace usted?

— Sostengo al oso. Hágame el favor de tomar mi
puesto por un momento.

— No lo suelte que voy a partirle la cabeza.

— ¡ Eso no! Este animal del demonio me ha
30 hecho sufrir toda la noche. Quiero tener la satisfac-

ción de matarlo yo mismo. Tómelo por las dos patas
como yo . . . así . . . muy bien . . . y no lo deje mover.
Voy a buscar mi hacha y el oso verá pronto a sus
abuelos.

Juan tomó el hacha de Antonio y se marchó, con 5
la misma indiferencia con que había llegado su amigo.

Esta vez fué Antonio quien gritó, y sus gritos se
oían por todo el bosque. Sentía un terror de muerte
Seguro de que iba a ser víctima del monstruo, se
encomendó [5] a Dios. Cuando Antonio ya no tenía 10
esperanza, apareció Juan, se sentó en una piedra
y no tomó ninguna medida para ayudar a su amigo.

— Pero, Juan, ¿ cuándo va usted a librarme de
esta tortura? ¡ Yo ya no puedo más! [f]

— ¿ Por qué se queja usted? ¿ No estaba yo 15
anoche en la misma situación? Y usted no hizo nada
para ayudarme.

Antonio siguió rogando y, al fin, despertó la compasión en el corazón de su amigo. Juan vió la
desesperación en su rostro, se acercó al oso y lo 20
mató. Libró así a su amigo de una muerte segura,
sin llevar su venganza muy lejos.

[1] *on*   [3] gruñir *to growl*   [5] encomendarse *to commend oneself,*
[2] *bind paws*   [4] *ax*   *entrust*

CUESTIONARIO

1. ¿ Quién era Juan? 2. ¿ Por qué inspiraba respeto? 3. ¿ A
quién vió una tarde? 4. ¿ Qué hizo entonces? 5. ¿ Por qué
no podía hacerle daño el oso? 6. ¿ Qué tal gritó Juan? 7. ¿ Qué
tal fué aquella noche para él? 8. ¿ Cuándo volvió a gri-

tar Juan? 9. ¿ Cómo llegó Antonio? 10. ¿ Qué quería hacer
al oso? 11. ¿ Qué quería hacer Juan? 12. ¿ Dónde se oían los
gritos de Antonio? 13. ¿ Qué hizo Juan cuando llegó?
14. ¿ Quién mató al oso por fin?

VOCABULARY

adelante: de —, *front, fore* la medida *measure; step*
anoche *last night* opuesto, –a *opposite*
aparecer *to appear* el oso *bear*
atrás: de —, *back, bind* la piedra *stone*
el diente *tooth* quejarse *to complain*
la esperanza *hope* reunir *to gather*
el esfuerzo *effort* rogar *to beg*
el hierro *iron* soltar *to let go*
librarse *to free oneself* sostener *to hold*

COGNATES

What English words and meanings do you recognize
from the following?

el adversario la chimenea inspirar la tortura
la agonía el demonio mover la venganza
crítico, –a firme el músculo la víctima

OPPOSITES

bajar subir lento rápido
mostrar esconder recordar olvidar
libre preso fuera dentro
enorme pequeño hacia desde
el enemigo el amigo pronto tarde
perdonar acusar la venganza el perdón
sostener soltar empezar acabar

SYNONYMS

reunir	juntar	lento	despacio
empezar	comenzar	hallar	encontrar
opuesto	contrario	quejarse	lamentarse
mostrar	enseñar	rogar	pedir
firme	seguro	la cara	el rostro
recordar	acordarse de	nadie	ninguno
adversario	enemigo	la situación	la posición

IDIOMS

(a) perder la cabeza *to lose one's head*
(b) tratar de + inf. *to try + inf.*
(c) de repente = de pronto *suddenly*
(d) toda la noche *all night, the whole night*
(e) claro está = por supuesto *of course*
(f) ya no poder más *not to be able to stand it any longer*

EJERCICIO DE COMPRENSIÓN

Complete the following sentences:

1. Juan era un campesino con ——.
2. Vió bajar de un árbol ——.
3. El árbol estaba entre ——.
4. El oso no podía librarse de ——.
5. Pasó la noche cara a cara con ——.
6. Grande fué su alegría cuando vió ——.
7. Antonio no había oído —— de ——.
8. Los gritos de Antonio se oían por ——.
9. Juan no quería llevar su venganza ——.
10. Libró a su amigo de ——.
11. Antonio no ayudó a ——.
12. Por fin Juan libró a ——.

ESTUDIO DE PALABRAS

I. Arrange the following words in pairs with **like** meanings:

1.		2.	
reunir		contrario	
opuesto		lamentarse	
mostrar		juntar	
firme		despacio	
recordar		seguro	
lento		posición	
quejarse		enseñar	
cara		acordarse de	
rogar		pedir	
situación		rostro	

II. Arrange the following words in pairs with **opposite** meanings:

1.		2.	
mostrar		soltar	
libre		olvidar	
enorme		dentro	
sostener		tarde	
lento		rápido	
recordar		preso	
fuera		esconder	
pronto		pequeño	
venganza		perdón	

III. These idiomatic expressions are found in the text. Give the English equivalent of each.

1. Juan no perdió la cabeza. 2. El oso iba a tocar el suelo. 3. Estaba en poder del campesino. 4. El animal no podía hacerle daño. 5. De repente vió a su amigo Antonio. 6. Pasaron los dos toda la noche así. 7. Su amigo siguió andando. 8. Antonio no podía sufrir más. 9. Juan trataba de gritar más fuerte. 10. Claro está, no lo había oído.

CURA SEGURA PARA TODOS

Los moros ocuparon a España casi ocho siglos. Durante ese tiempo los españoles sufrieron mucho. En el siglo trece, cuando reinaba Jaime I de Aragón, había ᵃ muchos enfermos en el reino. Una epidemia había acabado con ᵇ los mejores médicos. El rey había perdido toda fe en los pocos que quedaban. Estaba ya desesperado cuando se presentó cierto individuo a la corte.¹

— Su Majestad, — dijo al monarca — soy el mejor médico de España. Vengo de Córdoba a curar a los enfermos de su reino. Ha de saber Su Majestad que tengo una cura segura para todos.

— ¡ Qué buena suerte! — exclamó el rey muy contento. — Yo necesito una persona como usted, porque hay muchos enfermos en mi reino.

— Y, ¿ qué recibiré como recompensa, si curo a los enfermos?

— Le daré mucho dinero. Mas si no los cura le mandaré cortar la cabeza.

El hombre no era médico sino un curandero [2] muy vivo. Ya tenía su plan preparado y no sentía temor al resultado de su experimento.

Jaime I dió orden de hacer venir al palacio a todos los enfermos [c] del reino. Iban a ser examinados por el gran médico. Acudieron todos inmediatamente. Los hicieron pasar al salón más grande del palacio, donde los esperaba el curandero. Dió orden éste de encender un gran fuego en la chimenea. El rey y sus ministros estaban allí también.

— Quiero quedarme solo con los enfermos, — les dijo el curandero — porque tengo que hablarles en privado.

Lo dejaron solo con sus pacientes. Estaban éstos muy contentos, pensando que iban a ser curados muy pronto.

— Amigos míos, — habló el curandero — soy el mejor médico del mundo y ya verán cómo los voy a curar a todos. Yo tengo una fórmula para curar todas las enfermedades. Si ustedes prometen tomar mi remedio, pueden estar seguros de ponerse buenos [d] completamente.

Por supuesto que todos prometieron hacerlo. El médico continuó diciendo:

— Ahora voy a preparar el remedio. Para eso necesito al más enfermo de todos ustedes. Después lo pondré al fuego y con sus cenizas [3] preparé la medicina que ha de curar a los demás.

Los enfermos sintieron un gran terror. Ninguno quería morir quemado. Mas no dijeron nada. El

curandero caminó alrededor del salón mirando de
pies a cabeza [e] a cada uno. Se detuvo delante de
un hombre que estaba tan flaco y pálido como un
cadáver.

— ¡ Eh, amigo! Usted parece ser el más enfermo
de todos — le dijo. — Escojo a usted, pues parece
más muerto que vivo. Venga, venga conmigo, amigo
mío.

— ¿ Yo enfermo? ¡ Nunca, nunca en mi vida!
— replicó el hombre casi furioso. — Usted está
equivocado, yo me siento perfectamente bien.

— Entonces, ¿ qué hace usted aquí? Váyase inmediatamente. Márchese a su casa ahora mismo.[f]

El pobre hombre salió del [g] salón rápidamente sin
dejárselo repetir por segunda vez. Fuera, en el
vestíbulo, esperaba el rey con su corte. Estaba muy
ansioso de ver el resultado del experimento del gran
médico. Al ver salir al primer enfermo le preguntó:

— ¿ Sale usted curado ya, buen hombre?

— Sí, Su Majestad, estoy completamente curado — contestó, y salió corriendo del palacio.

Al salir el primer enfermo del salón el curandero
hizo lo mismo con otro enfermo y recibió la misma
contestación. Usó el mismo método con el tercero,
con el cuarto y con todos los demás.[4] Al saber que
iban a ser sacrificados, todos se sentían curados.
Así, uno después del otro, salieron todos diciendo
al rey que estaban completamente curados. Los
últimos salieron gritando:

— ¡ Estamos curados! ¡ Ya estamos curados!

El curandero salió detrás del último enfermo, se
dirigió al monarca y dijo muy satisfecho:

— Su Majestad, he curado ya a todos los enfermos
del reino.   Déme lo que me ofreció, porque me
5 esperan en otra parte.

[1] *Your Majesty must know*	[3] *ashes*
[2] *quack doctor*	[4] *the rest*

CUESTIONARIO

1. ¿ Cuánto tiempo ocuparon los moros a España ?   2. ¿ Quién
reinaba en el siglo trece?   3. ¿ Qué había acabado con los médicos del reino?   4. ¿ En quién había perdido el rey la fe?
5. ¿ Quién se presentó a la corte?   6. ¿ Quién era el hombre?
7. ¿ Cuántos enfermos acudieron al palacio?   8. ¿ Para qué era
la fórmula del médico?   9. ¿ Qué prometieron hacer todos los
enfermos?   10. ¿ Qué necesitaba para preparar el remedio?
11. ¿ Qué hicieron todos los enfermos?   12. ¿ Cuándo salió
el curandero?

VOCABULARY

alrededor de *around*	pálido, –a *pale*
caminar *to walk*	quemar *to burn*
la contestación *answer*	reinar *to reign*
cortar *to cut*	el reino *reign*
flaco, –a *thin*	el rey *king*
el fuego *fire*	sentir(se) *to feel* [1]
moro, –a *Moor*	el siglo *century*
ocupar *to occupy*	vivo, –a *clever*

COGNATES

What English words and meanings do you recognize
from the words at the top of page 111 ?

ansioso, –a	la medicina	privado, –a	sacrificar
la cura	el método	prometer	el salón
la epidemia	el ministro	la recompensa	usar
examinar	presentarse	el resultado	el vestíbulo

OPPOSITES

bien	mal	más	menos
sufrir	gozar	ninguno	alguno
enfermo	sano	fuera	dentro
curar	enfermarse	flaco	gordo
vivo	tonto	caminar	detenerse

SYNONYMS

el rey	el monarca	la persona	el individuo
la cura	el remedio	vivo	listo
seguro	cierto	el remedio	la medicina
la recompensa	el premio	la contestación	la respuesta
mas	pero	la parte	el lugar

IDIOMS

(a) había *there was, there were*
(b) acabar con *to put an end to*
(c) todo el + noun *the whole, every, all*
(d) ponerse bueno *to get well*
(e) de pies a cabeza = de arriba abajo *from head to foot*
(f) ahora mismo *right now*
(g) salir de *to leave*

EJERCICIO DE COMPRENSIÓN

Arrange the following sentences so as to form a summary of the story:

1. Él dijo que era el mejor médico del país.
2. Los moros ocuparon el país casi ocho siglos.

3. Todos los enfermos fueron al palacio del rey.
4. Al oír eso todos se sintieron curados.
5. Cuando reinaba Jaime I había muchos enfermos.
6. Iba a recibir mucho dinero como recompensa.
7. Todos prometieron hacer lo que decía el curandero.
8. Muchos médicos habían muerto en el reino.
9. Recibió a todos los enfermos en el palacio.
10. Iba a curar a todos con las cenizas de uno.

ESTUDIO DE PALABRAS

I. Arrange the following words in pairs with like meanings:

1.	2.
rey	cierto
cura	individuo
seguro	lugar
recompensa	premio
mas	pero
persona	respuesta
vivo	listo
contestación	monarca
parte	remedio

II. Arrange the following words in pairs with opposite meanings:

1.	2.
bien	gordo
sufrir	dentro
enfermo	alguno
curar	detenerse
vivo	menos
más	mal
ninguno	enfermarse
fuera	tonto
flaco	sano
caminar	gozar

III. Use the idiomatic expressions between parentheses and translate the following sentences:

1. He got well last year (*ponerse bueno*). 2. They were going to be there (*ir a + inf.*). 3. He looked at him from head to foot (*de pies a cabeza*). 4. The doctor is coming right now (*ahora mismo*). 5. The sick man left the palace late (*salir de*). 6. There were many Moors in Spain (*había*). 7. The epidemic had put an end to the doctors (*acabar con*). 8. All the persons were from Cordoba (*todo el + noun*). 9. The doctor continued speaking to the patients (*seguir + inf.*).

¡QUÉ TONTOS ERAN!

Había una vez tres gallegos muy pobres. Necesitaban trabajo y se fueron a Castilla, pues allí había grandes campos de cultivo donde necesitaban trabajadores. Al llegar allá tuvieron la buena suerte
5 de encontrar trabajo. Durante todo el verano, trabajaron y ganaron bastante dinero. Al recibir su pago decidieron volver a Galicia.

No quisieron tomar el tren porque les iba a costar mucho dinero. Así es que ª resolvieron regresar a
10 pie. Salieron una mañana muy temprano. Caminaron todo el día y por la tarde ya estaban muy cansados. Al caer la noche se hallaban en un bosque. La oscuridad era profunda y perdieron el camino. Era mejor no continuar hasta la mañana y buscaron
15 un lugar donde dormir; pero antes de acostarse, se sentaron a comer unas moras ¹ que habían cogido durante el día.

De repente,ᵇ oyeron ruido de muchos caballos que parecían estar muy cerca. Los tres gallegos pensaron

inmediatamente ᶜ en ladrones. Iban a perder el
dinero que llevaban en los bolsillos, después de haber
trabajado tanto para ganarlo. Era necesario esconderse para salvar el dinero y quizás hasta la vida.
Uno de los gallegos vió que a poca distancia de ellos 5
había unos árboles altos de anchas ramas.

— Amigos, — dijo a sus compañeros — vamos a
subir a un árbol. Allí nos podemos sujetar con nuestras fajas ² y dormiremos tranquilos sobre las ramas.
Si los que llegan son ladrones, nos escondemos ahí 10
y no correremos ningún peligro.

En seguida subieron a un árbol y pronto llegó al
mismo sitio un grupo de hombres a caballo. Era
efectivamente ³ una banda de ladrones. Por mala
suerte ellos también decidieron pasar la noche allí. 15
Se bajaron de los caballos, reunieron leña ⁴ y en-
cendieron un buen fuego. Uno de los gallegos se
había quitado los zapatos y, por desgracia,⁵ uno de
los ladrones los encontró. Se los enseñó al capitán y
éste dijo: 20

— ¡ Caramba ! Por lo visto, tenemos compañía.
¿ De quién serán esos zapatos ?

El primer gallego sin poder contenerse contestó
desde el árbol:

— Son míos. Déjelos, que ⁶ los necesito para ir a 25
Galicia.

Miró hacia arriba el capitán y descubrió al gallego.

— ¿ Qué hace usted ahí, hombre ? Baje, baje y
siéntese con nosotros. ¿ No quiere usted divertirse
un poco charlando ?   30

El gallego obedeció, pues era muy tonto. **Pero** mientras bajaba decía temblando de miedo:

— Señores, yo sé que ustedes son ladrones. Los he oído hablar de sus robos mientras arreglaban el fuego. ¡Por Dios! No me quiten el dinero que llevo, pues lo he ganado con mucho trabajo. Es lo único que tendrán mis hijos para vivir todo el invierno.

Al llegar el gallego al suelo, el capitán, sin esperar un minuto, sacó su revólver y le disparó un tiro en el corazón. Cayó muerto el pobre hombre y le quitaron todo el dinero que llevaba en el bolsillo.

Los otros dos gallegos contemplaban desde arriba la triste escena. Después de cometer este nuevo crimen, los ladrones pensaron que era mejor marcharse de allí. Se levantaron y ya se iban cuando uno de ellos dijo:

— Nunca he visto salir tanta sangre de un hombre. Y miren qué negra es. ¿Por qué será así?

El segundo gallego, tan tonto como su compañero, tampoco pudo contenerse y respondió:

— Tiene tan negra la sangre porque hemos comido muchas moras.

— ¡ Ah ! ¡ Tenemos más compañía, señores ! — exclamó el capitán.

— Sí, pero yo no bajo, pues me matarán también.

— Baje pronto, amigo, o lo haremos bajar nosotros.

El gallego no bajó, pero uno de los ladrones subió al árbol y pronto lo arrastró al suelo. Allí lo mataron también sin compasión y le quitaron el dinero. Ya se marchaban de nuevo los ladrones cuando el capitán dijo:

— ¡ Qué hombres tan tontos ! Se esconden primero y después hablan sin necesidad.

El tercer gallego, que era el más tonto de los tres, también contestó:

— Pues yo no soy tonto, pueden ustedes creerlo. Por eso es que yo no he dicho ni una palabra.

— ¡ Qué ! ¿ Otro más ? — replicó el capitán. — Ahí está otro tonto, más tonto que los otros dos. Bájenlo inmediatamente.

Bajaron del árbol al pobre gallego, lo mataron y le quitaron el dinero.

Y ése fué el triste fin de los tres gallegos quienes, por ser [d] tan tontos, nunca volvieron a Galicia.

· *blackberries*	[3] *indeed*	[5] *unfortunately*
[2] *sasbes*	[4] *firewood*	[6] *for*

CUESTIONARIO

1. ¿ Cuántos eran los gallegos del cuento? 2. ¿ Qué necesitaban? 3. ¿ A dónde se fueron? 4. ¿ Qué hicieron todo el verano? 5. ¿ Qué recibieron? 6. ¿ A dónde decidieron volver? 7. ¿ Por qué no tomaron el tren? 8. ¿ Qué hicieron todo el

día? 9. ¿Qué comieron? 10. ¿Qué oyeron de repente?
11. ¿En quién pensaron inmediatamente? 12. ¿A dónde subieron? 13. ¿Qué encontró un ladrón? 14. ¿Qué contestó
el primer gallego? 15. ¿Quién lo mató? 16. ¿Qué pasó al
segundo gallego? 17. ¿Qué contestó el tercero? 18. ¿Por
qué no volvieron los tres gallegos a Galicia?

VOCABULARY

ancho, –a *wide*	el pago *pay*
arrastrar *to drag*	la rama *branch*
arriba *above, up*	regresar *to return*
el bosque *forest*	la sangre *blood*
el caballo *horse*	sujetarse *to fasten oneself*
el corazón *heart*	temprano *early*
disparar *to shoot, fire*	el tiro *shot*
encender *to light*	el zapato *shoe*

COGNATES

What English words and meanings do you recognize
from the following?

la banda	costar	la escena	profundo, –a
la compañía	decidir	el grupo	resolver
la compasión	descubrir	la necesidad	responder
contemplar	la distancia	la oscuridad	terminar

OPPOSITES

temprano	tarde	quitarse	ponerse
la oscuridad	la claridad	arriba	abajo
cerca	lejos	triste	alegre
subir	bajar	el fin	el principio

SYNONYMS

resolver	decidir	contemplar	mirar
caminar	andar	disparar	tirar
cansado	fatigado	la compasión	la piedad
enseñar	mostrar	regresar	volver

IDIOMS

(a) así es que = por eso *for that reason*
(b) de repente = de pronto *suddenly*
(c) inmediatamente = en seguida = en el acto *immediately, at once*
(d) por ser *on account of being*

EJERCICIO DE COMPRENSIÓN

State whether the following sentences are true or false. Correct all details in the false statements:

1. Había una vez dos gallegos muy ricos.
2. Recibieron su pago y volvieron a Castilla.
3. No tomaron el tren porque iba a costar mucho.
4. Perdieron el camino pues la oscuridad era grande.
5. Llegó una banda de gallegos al bosque.
6. Los tres hombres pasaron la noche en el bosque.
7. Los gallegos robaron a la banda de ladrones.
8. Los ladrones se marcharon de allí.
9. Los tres compañeros comieron muchas moras.
10. El capitán mató al primer gallego.
11. Los gallegos obedecieron a los ladrones.
12. Los ladrones iban a dormir en los árboles.
13. Los gallegos eran muy tontos.
14. Los gallegos quitaron mucho dinero a los ladrones.
15. El tercer gallego era el más tonto.

ESTUDIO DE PALABRAS

I. Arrange the following words in pairs with like meanings:

1.	2.
resolver	tirar
caminar	volver
cansado	mirar
enseñar	fatigado
contemplar	decidir
disparar	mostrar
compasión	piedad
regresar	andar

II. Arrange the following words in pairs with opposite meanings:

1.	2.
temprano	alegre
oscuridad	abajo
cerca	ponerse
subir	claridad
quitarse	principio
arriba	tarde
triste	lejos
fin	bajar

III. Give the English equivalent for each of the following idiomatic expressions:

1. *Había* muchos gallegos en Castilla. 2. Trabajaron allí *todo el verano.* 3. *Al recibir* su pago volvieron a Galicia. 4. *De repente* vieron a los ladrones. 5. *Iban a salir* aquella mañana. 6. *Vamos a comer* con los ladrones. 7. *Por lo visto,* perdieron su dinero. 8. Bajaron del árbol *inmediatamente.* 9. *Así es que* no contestaron. 10. Los mataron a todos *por ser* tan tontos.

TRES CONTRA UNO

En una calle no muy frecuentada de Santiago, capital de Chile, estaba situada la tienda de un prendero.[1] Una mañana de invierno entró en ella un caballero. Traía algo en las manos, envuelto en papel, de lo cual sacó un violín. [5]

— Buenos días, señor, — dijo. — Como empieza a llover, ¿ me hará usted el favor de guardarme este violín hasta esta noche? La lluvia puede echarlo a perder [a] y este instrumento vale una fortuna.

— Con mucho gusto, caballero. [10]

El prendero tomó el violín y lo puso en una mesa.

— Tenga cuidado [b] — añadió el hombre — es un instrumento de mucho valor.

— No se preocupe, señor, nadie lo tocará.

El caballero salió de la tienda. El prendero curioso [15] tomó el violín para examinarlo. No le pareció un violín extraordinario, pero él no era experto en instrumentos de música.

Después de una hora, se presentó otro caballero en la tienda. Deseaba comprar un regalo para su esposa, pero no encontró nada a su gusto. Ya iba a salir de la tienda, cuando vió el violín sobre la mesa.
5 Lo examinó con mucho cuidado y luego dijo al prendero:

— ¡ Qué magnífico instrumento ! ¿ Cuál es su precio ?

— Lo siento,^c señor, pero no puedo vender ese
10 violín porque no es mío — contestó el prendero.

El caballero lo examinó por segunda vez aún con más cuidado y dijo:

— Si usted quiere venderlo, le daré cien pesos.

— Ya le he dicho que no puedo venderlo — repitió
15 el prendero. — No es mío.

— Pero, hombre, usted no puede hacer un negocio de cien pesos todos los días.

— Ya lo sé,² pero le repito que el violín no es mío y que me es absolutamente imposible venderlo.

20 El caballero se marchó y poco después volvió con otro.

— Este señor conoce bien los instrumentos de cuerda — dijo al prendero. — Es violinista.

Los dos examinaron el instrumento, hablaron un
25 momento en secreto, y luego el caballero dijo al prendero:

— Le doy doscientos pesos por el violín; y otros cincuenta para usted si me lo vende.

— Vuelvan ustedes mañana, señores, y veré si
30 podemos hacer negocio.

Los dos se marcharon, diciendo que volverían a la mañana siguiente.

Entretanto el prendero, que vió la oportunidad de hacer un buen negocio, tomó el violín y lo escondió. Por la noche,[d] llegó el dueño y le pidió el instrumento. 5

— Ya no llueve y puedo llevarme el violín a casa.

— ¿Quiere usted venderlo? — le preguntó el prendero frotándose [3] las manos.

— No, señor, muchas gracias, no deseo venderlo.

— Tengo alguien que quiere comprarlo por cien 10 pesos.

— Ya le dije que no quiero venderlo.

— ¡Doscientos pesos!

— Repito que no deseo venderlo.

— ¿Quiere usted más? 15

— Lo que quiero es el instrumento, señor. Hágame el favor de darme mi violín. No tengo tiempo que perder.

— Pues bien, siento mucho tener que decirle la verdad: me han robado el instrumento y no sé qué 20 hacer.

— ¿Qué dice usted? ¿Mi violín... robado? ¡Mi precioso violín! ¡Eso va a arruinarme!

— ¡Qué desgracia! — dijo el prendero, fingiendo profundo disgusto. 25

— ¿Qué voy a hacer ahora sin mi maravilloso violín? — gritó furioso el caballero. — ¡Yo, un artista y sin instrumento! ¿Se da cuenta usted de [e] mi tragedia? ¡No sé cómo no lo mato! O me paga usted el valor del violín o lo haré llevar a la cárcel. 30

— ¡ Señor, tenga compasión de mí ! ¡ Le daré cien pesos . . . doscientos . . . trescientos ! No puedo ofrecerle más. Puede Vd. aceptar ese dinero o llevarme a la cárcel.

— No quiero hacer eso, porque usted no es un criminal. Pero, créame usted que es un precio insignificante por semejante instrumento. Mas si no tiene más dinero, tengo que aceptar los trescientos pesos. ¿ Qué voy a hacer ?

El prendero pagó al caballero y éste salió de la tienda murmurando:

— ¡ Qué mala suerte ! ¡ Perder mi violín ! ¡ Mi precioso violín !

A la mañana siguiente, el prendero sacó el violín de donde lo había escondido y esperó la visita del comprador. No iba a aceptar menos de quinientos pesos. ¡ Qué buen negocio iba a hacer ! Esperó una hora, un día, una semana, un mes, pero nadie apareció. Dos meses después, el prendero llamó a un amigo violinista para mostrarle el instrumento que había comprado. Quería averiguar el verdadero valor del instrumento.

— ¿ Qué le parece a usted este violín ?

— Es un instrumento sin valor.

— ¡ No se burle usted de mí, hombre !

— Yo no me burlo de nadie, le digo la pura verdad. Ese violín vale a lo más cinco pesos.

— ¡ Y yo que pagué trescientos pesos por él !

— ¡ Trescientos pesos ! ¡ Qué tonto ha sido usted ! ¡ Caramba, le han robado el dinero !

Sólo entonces comprendió el prendero que los tres visitantes eran ladrones expertos y que trabajaban juntos. Él, como un tonto, había sido su víctima.

¹ *second-hand dealer* ² *I know it* ³ frotarse *to rub*

CUESTIONARIO

1. ¿ Dónde estaba la tienda? 2. ¿ Quién entró en ella? 3. ¿ Por qué dejó el caballero el violín? 4. ¿ Cuánto valía el instrumento? 5. ¿ Quién llegó una hora después? 6. ¿ Qué vió sobre la mesa? 7. ¿ Cuánto ofreció por el violín? 8. ¿ Con quién volvió el caballero? 9. ¿ Cuánto ofrecieron por el violín? 10. ¿ Qué oportunidad vió el prendero? 11. ¿ Quién llegó por la noche? 12. ¿ Qué le dijo el prendero? 13. ¿ Qué aceptó por fin el caballero? 14. ¿ Cuánto tiempo pasó? 15. ¿ A quién llamó el prendero? 16. ¿ Qué comprendió entonces?

VOCABULARY

averiguar *to find out*	el gusto *pleasure*
la calle *street*	el invierno *winter*
la cuerda *string*	llover *to rain*
el cuidado *care*	la lluvia *rain*
la desgracia *misfortune*	el negocio *business, deal*
envuelto, –a *wrapped up*	el regalo *present*
fingir *to pretend, feign*	valer *to be worth*
guardar *to keep*	el valor *value*

COGNATES

What English words and meanings do you recognize from the following?

aceptar	comprender	experto, –a
arruinar	curioso, –a	frecuentado, –a
l artista	examinar	insignificante

el instrumento	la oportunidad	puro, –a
murmurar	el papel	situado, –a
la música	precioso, –a	la tragedia

OPPOSITES

el día	la noche	pagar	cobrar
frecuentado	solitario	ahora	después
sobre	debajo de	salir	entrar
vender	comprar	tomar	dar

SYNONYMS

envuelto	cubierto	la suerte	la fortuna
el gusto	el placer	tonto	necio
sobre	encima de	el valor	el precio
esperar	aguardar	la oportunidad	la ocasión

IDIOMS

(a) echar a perder *to ruin*
(b) tener cuidado *to be careful*
(c) sentir (mucho) *to be (very) sorry*
(d) por la noche *in the evening, at night*
(e) darse cuenta de *to realize*

EJERCICIO DE COMPRENSIÓN

Complete the following statements with the proper word or words:

1. La lluvia iba a echar a perder —— del caballero.
2. El prendero puso el instrumento en ——.
3. Él no era experto en instrumentos ——.
4. Después de una hora se presentó ——.
5. Quería pagarle —— por el violín.

6. Lo examinó por segunda vez y le ofreció ——.
7. O aceptaba el dinero o lo llevaba a ——.
8. Dos meses después el prendero llamó a ——.
9. El señor tuvo que aceptar los —— pesos.
10. El violinista dijo que el violín valía sólo ——.

ESTUDIO DE PALABRAS

I. Arrange the following words in pairs with like meanings:

1.		2.
envuelto		fortuna
gusto		ocasión
sobre		necio
esperar		cubierto
suerte		encima de
tonto		aguardar
valor		precio
oportunidad		placer

II. Arrange the following words in pairs with opposite meanings:

1.		2.
día		comprar
frecuentado		cobrar
debajo de		noche
vender		después
pagar		entrar
ahora		sobre
salir		dar
tomar		solitario

III. Use the idiomatic expressions between parentheses to translate the following sentences:

1. Good morning, my good friend (*buenos días*). 2. I am careful when I walk (*tener cuidado*). 3. You cannot go: I am

sorry (*sentir*). 4. She did not realize that (*darse cuenta de*).
5. I do not make fun of my friends (*burlarse de*). 6. We have
to buy a violin for her (*tener que + inf.*). 7. He does not go out
in the evening (*por la noche*). 8. Are you going to buy this
violin? (*ir a + inf.*). 9. Please buy this instrument (*hágame
el favor de*). 10. He will go out again (*volver a + inf.*).

ESTUDIO DE PALABRAS

empezar
ahora
tonta
volver
oportunidad

comenzar
oscura
necia
ciencia
dar con
aprender de
broma
placer

II. Arrange the following words in pairs with opposite
pasar
ahora
salir
tornar

comprar
sobrio
noche
después
entrar

UN TESTAMENTO ORIGINAL

Un campesino vivía en la época colonial en un pueblo pequeño cerca de Lima, capital del Perú. Al morir dejó a sus tres hijos, como única herencia, diecinueve vacas. En su testamento había unas condiciones muy originales. Aunque el buen padre quería igualmente a sus tres hijos, dejó dividida la herencia de este modo [a]: el hijo mayor debía recibir la mitad del capital; el hijo segundo una cuarta parte; y el menor una quinta. Pero para hacer la división no debían matar ninguna vaca. Si no podían dividir la herencia en esa forma, todas las vacas debían ser entregadas al virrey.

Cuando llegó el momento de hacer la división, ni el notario, ni el cura, ni el barbero, los sabios del pueblo, hallaron la manera de repartir la herencia en la forma deseada por el padre. En primer lugar, la mitad, más un cuarto, más un quinto, no formaban un número entero, había siempre una fracción. Además, para hacer la división de esa manera necesi-

taban sacrificar una vaca. Y, ¿ cómo iban a cortar
una vaca en pedazos sin matarla? Ahí tenían otro
problema imposible de resolver. ¿ Qué iban a hacer?

Después de larga meditación los hijos llegaron a
5 una triste conclusión: el problema no tenía solución.
Cansados de hacer cálculos [b] resolvieron entregar las
vacas al virrey.

Cuando iban al palacio a entregar las vacas, se
encontraron con [c] el pastor del pueblo. Tenía éste
10 fama de [d] ser un buen matemático. Al verlo lo
saludaron los hermanos y el pastor les preguntó a
dónde iban con las vacas. Los tres le explicaron las
condiciones originales del testamento de su padre.

Al oírlos el pastor meditó unos momentos y luego
15 dijo que podía resolver fácilmente el problema.

— ¿ Cómo va usted a resolver ese problema si los
sabios del pueblo no han podido hacerlo?

— No se preocupen ustedes — replicó el pastor.
— Yo tengo ya la solución. Vengan conmigo a mi
20 casa y ya verán cómo arreglo el asunto.

Condujo a los tres hermanos a su casa. Entonces
sacó el pastor del establo la única vaca que tenía y la
añadió a las diecinueve vacas de los tres hermanos,
formando así un total de veinte vacas. Luego les
25 habló así:

— Ahora, — dijo al mayor — tome usted la mitad
de las vacas.

El mayor tomó diez de ellas.

— Usted, — dijo al segundo — tome una cuarta
30 parte.

Éste separó cinco vacas.

— Y a usted le tocan ^e cuatro — dijo al menor.

Después continuó diciendo el pastor:

— La vaca que queda ^f es la mía, la que les presté y que tienen que devolverme. De este modo se ha 5 hecho la división de las diecinueve vacas en la forma deseada por su padre. ¿ No es así? Ya no tendrán que entregarlas al virrey.

Los tres hermanos quedaron muy satisfechos. Y para mostrar su gratitud al pastor, cada uno de ellos 10 le regaló una vaca y volvieron muy contentos a su casa.

CUESTIONARIO

1. ¿ Cuántos hijos tenía el campesino? 2. ¿ Qué les dejó al morir? 3. ¿ Quién recibía la mitad? 4. ¿ Qué parte era para el segundo hijo? 5. ¿ Cuánto iba a recibir el menor? 6. ¿ Qué debían hacer si no podían dividir la herencia? 7. ¿ Por qué no pudieron dividirla? 8. ¿ Qué resolvieron hacer los hijos? 9. ¿ A quién encontraron en el camino? 10. ¿ Qué explicaron al pastor? 11. ¿ Qué les contestó éste? 12. ¿ De qué modo dividió la herencia? 13. ¿ Cómo quedaron los tres hermanos? 14. ¿ Qué regaló cada uno al pastor?

VOCABULARY

el campesino *peasant*
conducir *to lead, take*
el cura *priest*
devolver *to return*
entregar *to deliver*
la forma *way*
la herencia *inheritance*
la mitad *half*

el modo *manner*
el pedazo *piece*
prestar *to lend*
reunir *to join*
saludar *to greet*
único, -a *only*
la vaca *cow*
el virrey *viceroy*

COGNATES

What English words and meanings do you recognize
from the following?

el cálculo	el establo	la manera
la conclusión	explicar	el matemático
la condición	la fama	la meditación
dividir	formar	el notario
la división	la fracción	el número
entero, –a	la gratitud	el testamento

OPPOSITES

el mayor	el menor	igual	diferente
largo	corto	recibir	dar
el sabio	el ignorante	morir	nacer
sacar	meter	llegar	salir
reunir	separar	continuar	parar

SYNONYMS

vivir	residir	el asunto	la cuestión
único	solo	conducir	llevar
el modo	la manera	la división	el reparto
el sabio	el erudito	reunir	juntar
fácil	sencillo	contento	alegre

IDIOMS

(a) de este modo *in this manner*
(b) hacer cálculos *to figure*
(c) encontrarse con *to come upon, meet (with)*
(d) tener fama de *to have the reputation of, be famous for*
(e) tocar a *to be one's share*
(f) quedar *to have left (over)*

EJERCICIO DE COMPRENSIÓN

Combine the proper parts of the following sentences:

1. Ésta es la vaca
2. El testamento tenía
3. Los hermanos mostraron
4. El campesino vivía
5. Así se ha hecho
6. Las vacas debían ser
7. Al verlo mañana
8. Llegó el momento de
9. El problema es
10. El pastor les preguntó

a. en un pueblo del Perú.
b. a dónde iban.
c. hacer la división.
d. la división de las vacas.
e. le explicaré el caso.
f. que les presté.
g. difícil de resolver.
h. su gratitud al pastor.
i. condiciones originales.
j. entregadas al virrey.
k. volvieron muy contentos.
l. los sabios del pueblo.

ESTUDIO DE PALABRAS

I. Arrange the following words in pairs with like meanings:

1. vivir
   único
   modo
   momento
   sabio
   fácil
   asunto
   hallar
   conducir
   división
   reunir
   resolver
   contento
   oír

2. decidir
   alegre
   cuestión
   llevar
   manera
   encontrar
   reparto
   solo
   escuchar
   sencillo
   residir
   instante
   juntar
   erudito

II. Arrange the following words in pairs with opposite meanings:

1. mayor	2. ignorante
largo	dar
sabio	dejar
sacar	salir
reunir	nacer
igual	separar
recibir	meter
morir	menor
llegar	diferente
tomar	corto

III. Tell what the following idiomatic expressions mean in English. Write original sentences using at least eight.

1. ¿Qué iban a hacer los tres? 2. De este modo harían la división. 3. Los hermanos se encontraron con el pastor. 4. Hizo muchos cálculos y resolvió el problema. 5. Su padre tenía fama de ser sabio. 6. Al verlo, le preguntó a dónde iba. 7. El cura tenía que hacer la división. 8. No se preocupaban de nada. 9. Solamente quedaban tres vacas. 10. A él le tocaron cuatro vacas.

QUERÍA SU REAL

En un pueblo español había un sastre. Como debía dinero a todo el mundo, estaba muy preocupado. Siendo muy pobre la gente del lugar, le encargaban pocos trajes. El sastre ganaba tan poco que casi se moría de hambre. No dormía porque sus [5] deudas lo volvían loco. Estaba desesperado con su triste situación. Meditaba mucho, pero no encontraba la manera de pagar sus deudas. Por fin, tomó una resolución heroica.

— Oye, Rosa, — dijo a su esposa — me es com- [10] pletamente imposible pagar mis deudas. Lo mejor es [1] hacerme el muerto.[a] Así no me llevarán a la cárcel por deudas y me perdonarán todos. Tú dirás a todo el mundo que yo acabo de morir, y yo me haré el muerto. [15]

La mujer, obedeciendo a su marido, salió a la puerta de la casa a llorar con desesperación. Todos los vecinos acudieron a ver qué pasaba. Ella les

dió la noticia de que su marido había muerto. Y lo
dijo con tal sinceridad que todos creyeron de buena
fe en la muerte del sastre. Para consolar a la esposa,
los deudores[2] le dijeron que iban a cancelar las deudas de su marido.

Ahora bien, en el pueblo había un zapatero a quien
el sastre debía un real.[3]   Era un hombre avaro,
sumamente[4] avaro.   Al enterarse de[b] la muerte del
sastre no pudo consolarse de la pérdida de su real.

— A mí me debe un real y no olvido esa deuda —
decía a todos. — Vivo o muerto me debe un real.
Si ustedes le han perdonado sus deudas yo no lo
haré.   Pero, después de todo, como era mi amigo es
mi deber ir esta noche a velarlo.[5]

Aquella noche llevaron el cadáver del sastre a la
iglesia.   En aquel tiempo era la costumbre dejar allí
a los muertos una noche entera antes de enterrarlos.
Cumplió con[c] su promesa el zapatero; pero, para
asegurarse de que el sastre estaba muerto de veras,[d]
decidió pasar toda la noche en la iglesia.   Así es que
se quedó solo cuando los otros se marcharon a su
casa.

A eso de[e] las cuatro de la mañana, llegaron unos
ladrones a la iglesia.   El zapatero, muerto de miedo,
se escondió debajo de un banco.[6]   Vió que los bandidos dividían entre ellos las joyas y el dinero que
habían robado.   Había allí una verdadera fortuna.
Formaron catorce partes, aunque sólo eran trece
hombres.   Uno de los ladrones preguntó al jefe de
la banda:

Los ladrones dividen las joyas y el dinero.

— ¿ Para quién es la parte que sobra ? [f]

— Para quien le dé una bofetada [7] al muerto — respondió el capitán.

— Pues yo no se la doy — dijo un ladrón.

— Ni yo tampoco — replicó otro.

— Ni yo lo hago — agregó un tercero.

Pero el más pequeño, aunque el más atrevido de la banda, que no le tenía miedo ni a Dios ni al diablo, dijo con resolución:

— Si con eso recibo más dinero, yo le daré no una bofetada sino dos y aun tres.

Y dicho y hecho. [g] Con la mano levantada se acercó al muerto, dispuesto a cumplir su promesa. El sastre, que lo había oído todo, se sentó de un salto y gritó:

— ¡ Muertos, vengan a ayudarme !

El zapatero, a pesar de [h] su terror, contestó:

— ¡ Allá vamos todos ! [8]

Los ladrones creyeron que había ocurrido un milagro. Salieron de la iglesia llenos de terror y dejaron allí el producto de sus robos. Sin perder tiempo, el zapatero y el sastre se lo dividieron todo. Ya salían los dos de la iglesia cuando, de pronto, recordó el zapatero el real que le debía el sastre.

— Mire, amigo, el negocio es el negocio — dijo con ira. — Usted me debe un real y tiene que pagármelo. Nada de tonterías. ¿ Dónde está mi real ? ¿ Me lo paga o no ? ¡ Déme mi real ! ¡ Déme mi real !

Entretanto los ladrones se detuvieron y el capitán dijo:

— ¡ Qué tontos somos! Nosotros que robamos y matamos a tanta gente, hemos tenido miedo a [i] los difuntos. Uno de nosotros debe volver a la iglesia [s] en seguida para ver qué pasa.

De nuevo el más pequeño y como siempre el más valiente de la banda se ofreció a ir. Sentía un poco de miedo; se detuvo en la puerta de la iglesia antes de entrar para escuchar; y grande fué su sorpresa [10] cuando oyó una voz que gritaba:

— ¡ Déme mi real! ¡ Déme mi real!

El ladrón, por primera vez en su vida, se quedó petrificado de terror. Luego corrió como un loco. Y al acercarse a [j] sus compañeros gritó temblando de [15] pies a cabeza:

— ¡ Vámonos, vámonos! ¡ No perdamos tiempo! ¡ La iglesia está llena de muertos! Los difuntos están dividiéndose nuestro dinero. Y son muchos, son tantos, que no hay más que [9] un real para cada uno. [20] Y aun así hay uno que no ha recibido el suyo y está pidiendo su parte. Si entramos allí nos matarán a todos por el real que falta.

Al oír eso corrieron los ladrones como seguidos por el demonio. No se atrevieron a [k] volver la cabeza ni [25] una sola vez.[10]

El sastre, muy contento, pagó todas sus deudas y dió una buena suma de dinero a la iglesia. Pero, por supuesto, el zapatero, que no perdonaba la deuda de un real, no dió nada al cura. Los dos amigos vivieron [30]

felices y ricos el resto de su vida. Y nunca contaron
a nadie el secreto de su fortuna.

[1] *The best thing to do is*	[4] *extremely*	[7] *For the one who slaps*
[2] *debtors*	[5] *velar to be at one's wake*	[8] *We are all coming*
[3] *a coin worth about five cents, — "nickel"*	[6] *bench*	[9] *there is only*
		[10] *a single time*

CUESTIONARIO

1. ¿ Qué tal era el sastre? 2. ¿ A quién debía dinero? 3. ¿ Qué
dijo un día a su esposa? 4. ¿ Qué clase de hombre era el zapatero? 5. ¿ Qué dijo a todos? 6. ¿ Quién se quedó solo en la
iglesia? 7. ¿ Quiénes llegaron a las cuatro? 8. ¿ Qué gritó el
sastre? 9. ¿ Qué creyeron los ladrones? 10. ¿ Cómo salieron
de la iglesia? 11. ¿ Qué dividieron el zapatero y el sastre?
12. ¿ Qué recordó luego el zapatero? 13. ¿ Qué hacían los
difuntos según el ladrón? 14. ¿ Qué hicieron los ladrones?
15. ¿ Qué pagó el sastre? 16. ¿ Cómo vivieron los dos amigos
el resto de su vida?

VOCABULARY

acudir *to hasten*	obedecer *to obey*
agregar *to add*	olvidar *to forget*
la cárcel *jail*	la pérdida *loss*
la costumbre *custom*	recordar *to remember*
deber *to owe*	el robo *robbery*
la deuda *debt*	el salto *jump*
encargar *to order*	el sastre *tailor*
enterrar *to bury*	la tontería *nonsense*
la iglesia *church*	el traje *suit*
la joya *jewel*	valiente *brave*
el milagro *miracle*	verdadero, –a *real*
muerto, –a *dead*	vivo, –a *alive*
el negocio *business*	el zapatero *shoemaker*

COGNATES

What English words and meanings do you recognize from the following?

la banda
el bandido
cancelar
el capitán
consolar
la costumbre

el demonio
desesperado, –a
difunto, –a
formar
heroico, –a
la ira

meditar
perdonar
petrificado, –a
preocupado, –a
el producto
robar

OPPOSITES

posible — imposible
ganar — perder
muerto — vivo
deber — cobrar
llorar — reír

la pérdida — la ganancia
solo — acompañado
quedarse — marcharse
pequeño — grande
nada — todo

SYNONYMS

encontrar — hallar
meditar — pensar
la resolución — la decisión
la manera — el modo

el deber — la obligación
decidir — resolver
el producto — el fruto
feliz — dichoso

IDIOMS

(a) hacerse el muerto *to play dead*
(b) enterarse de *to learn, find out*
(c) cumplir (con) *to keep, fulfil*
(d) de veras *really, indeed*
(e) a eso de *about (time)*
(f) sobrar a = quedar a *to be left over*

    (g) dicho y hecho *no sooner said than done*
    (h) a pesar de *in spite of*
    (i) tener miedo a (de) *to be afraid of*
    (j) acercarse a *to approach*
    (k) atreverse a *to dare*

EJERCICIO DE COMPRENSIÓN

Supply words which best complete the following sentences:

    1. Iban a llevarlo a la cárcel por ——.
    2. Todos creyeron en la muerte del ——.
    3. Debía dinero a ——.
    4. Salieron de la iglesia llenos ——.
    5. El sastre debía un real a un ——.
    6. El más pequeño era el más ——.
    7. El sastre muy contento pagó ——.
    8. Sus deudas lo volvían ——.
    9. Sólo había un real para ——.
    10. Si entramos allí nos ——.

ESTUDIO DE PALABRAS

I. Arrange the following words in pairs with like meanings:

1.	2.
encontrar	fruto
meditar	modo
resolución	dichoso
manera	decisión
deber	pensar
decidir	resolver
producto	hallar
feliz	obligación

II. Arrange the following words in pairs with opposite meanings:

1.	2.
posible	ganancia
ganar	imposible
muerto	acompañado
deber	todo
llorar	cobrar
pérdida	reír
nada	marcharse
solo	grande
quedarse	vivo
pequeño	perder

III. Match each Spanish expression with its English meaning:

1. Vino a pesar del tiempo.
2. Me haré el muerto.
3. Se enteró de todo.
4. Me aseguré de eso.
5. Llegó a eso de la una.
6. Está cansado de veras.
7. No le tengo miedo a nadie.
8. El sastre se acercó a él.
9. Temblé de pies a cabeza.
10. Se atrevieron a entrar.
11. Les sobran cinco reales.
12. Cumplió con su palabra.

a. He found out everything.
b. He kept his word.
c. He arrived about one.
d. I'm not afraid of anybody.
e. The tailor approached him.
f. I trembled from head to foot.
g. I shall play dead.
h. They dared to enter.
i. They have five *reals* left.
j. He came in spite of the weather.
k. I made sure of that.
l. He is really tired.

EL SECRETO DEL ÉXITO

Una noche se hallaba en su cuarto un famoso actor, pensando en sus triunfos, cuando alguien llamó a la puerta.

— ¿ Quién es. Adelante [1] — dijo el ídolo del pú-
5 blico.

— El señor Alonso Martínez quiere verlo — contestó su criado.

— Que pase.[2]

Un caballero entró y habló así:

10 — Perdone usted la molestia. Vengo a hablarle
de mi hijo, quien cree tener aptitudes para el teatro.
Al principio su madre y yo nos opusimos; pero hemos
pensado que si el muchacho tiene verdadero talento,
sería lástima [a] poner obstáculos a su carrera. Por
15 eso deseo pedir a usted . . .

— ¿ Unos consejos? — interrumpió el actor.

—, Sí, señor. Me hará usted un gran favor con
ello.

— Muy bien, lo haré. Envíeme usted a su hijo mañana temprano.

La mañana siguiente el joven Martínez se presentó en casa del [b] célebre actor.

— El hijo del señor Martínez está aquí y desea 5 verlo — entró a decirle su criado.

— Hágalo esperar [c] — le contestó el actor.

Después de dos horas el criado volvió a entrar y preguntó:

— ¿ Se ha olvidado usted de [d] que alguien lo 10 espera ?

— No, no me he olvidado. Diga a ese joven que tiene que esperar una hora más. Después de la hora dígale que no puedo recibirlo hoy, y que tiene que volver mañana. 15

Día tras día el joven se presentaba en casa del artista. Pero en ninguna de sus visitas podía ver a su ídolo, el más célebre actor de su tiempo. El joven Martínez tenía que esperar todos los días, sólo para saber que había salido; y nunca sabían a qué hora 20 volvería. El criado siempre le repetía:

— Venga usted mañana.

Así pasaron seis largas semanas. El joven esperaba con paciencia sin ser recibido. Un día el padre preguntó al joven: 25

— ¿ Cuál ha sido el resultado de tus visitas al actor ? ¿ Te dió un buen consejo ? Nada me has dicho de eso.

— Todavía no he hablado con él, padre.

— ¿ Qué dices ? ¿ No has hablado todavía con 30

él? Él me prometió recibirte desde el primer día.
¿ Has ido a su casa esta mañana?

— Esta mañana y todas las otras, durante las úl-
timas seis semanas.

5   — ¿ Y no te ha recibido todavía?

— No, padre, todavía no.

Muy irritado el padre, sin perder un momento,
salió corriendo para la casa del actor. Media hora
después estaba en el cuarto de éste.

10   — Usted me prometió . . .

— ¡ Oh! Es el padre de nuestro joven amigo . . .
el que aspira a ser actor — le interrumpió el artista.
Y sin dejar continuar a su visitante, añadió: — Estoy
muy satisfecho con el muchacho. Tiene un gran
15 talento. ¡ Qué buen porvenir tiene! Tendrá un
éxito ᵉ absoluto en el teatro.

— Pero, ¿ cómo lo sabe usted, si no lo ha recibido
todavía?

— Es verdad — contestó el actor. — No lo he
20 recibido, pero él ha vuelto todas las mañanas, esperando siempre tres horas, por lo menos. Saber
esperar ᶠ es el secreto del éxito en el teatro. Talento
tienen casi todos los actores; pero, no saben esperar.
Ese hijo de usted sabe esperar y por eso promete
25 mucho. ¡ Créame usted!

¹ *Come in*   ² *Let him come in*

CUESTIONARIO

1. ¿ En dónde estaba el actor? 2. ¿ En qué pensaba una noche?
3. ¿ Quién quería verlo? 4. ¿ De quién quería hablarle?

5. ¿ Para qué tenía aptitudes el hijo? 6. ¿ Cuándo se presentó el joven Martínez? 7. ¿ Qué hacía el joven todos los días? 8. ¿ Cuánto tiempo pasó así? 9. ¿ Qué preguntó el padre al hijo? 10. ¿ Por qué se puso muy irritado? 11. ¿ Qué dijo el actor al padre? 12. ¿ Cuál es el secreto del éxito?

VOCABULARY

la carrera *career*	el muchacho *boy*
célebre *famous*	olvidar(se) *to forget*
el consejo *advice*	oponerse *to object*
esperar *to wait for*	el porvenir *future*
el joven *youth*	presentarse *to appear*
la lástima *pity*	la semana *week*
mañana *tomorrow*	temprano *early*
la molestia *trouble*	el visitante *visitor*

COGNATES

What English words and meanings do you recognize from the following?

absoluto, –a	famoso, –a	prometer
la aptitud	el ídolo	repetir
el artista	interrumpir	el resultado
aspirar	irritar	el secreto
brillante	el obstáculo	el talento
la época	perdonar	el triunfo

OPPOSITES

famoso	desconocido	el primero	el último
el triunfo	la derrota	el éxito	el fracaso
olvidar(se)	recordar	el principio	el fin
temprano	tarde	la verdad	la mentira

SYNONYMS

el cuarto	la habitación	dejar	permitir
famoso	célebre	el porvenir	el futuro
el triunfo	el éxito	absoluto	completo
volver	regresar	perdonar	excusar
la casa	la residencia	delante de	ante

IDIOMS

(a) ser lástima *to be a pity*
(b) en casa de *at the home of*
(c) hacer esperar a alguien *to make someone wait*
(d) olvidarse de *to forget*
(e) tener éxito *to be successful*
(f) saber + inf. *to know how + inf.*

EJERCICIO DE COMPRENSIÓN

Some of the following statements are true, and some are false. If a statement is false, correct it:

1. Un actor se hallaba una noche en su cuarto.
2. El señor Martínez llamó a la puerta.
3. El joven esperó durante seis semanas.
4. El secreto del éxito es saber esperar.
5. El padre tenía aptitudes para el teatro.
6. El muchacho tenía un buen porvenir.
7. El joven aspiraba a ser actor.
8. El actor dijo que el joven tenía talento.
9. El ídolo del público no recibió al joven.
10. El célebre actor se presentó en casa del criado.
11. El actor no recibió nunca al joven.
12. El ídolo del público decía que todos los actores tenían talento.

ESTUDIO DE PALABRAS

I. Arrange the following words in pairs with like meanings:

1. cuarto
   famoso
   triunfo
   volver
   casa
   dejar
   porvenir
   absoluto
   perdonar
   delante de

2. residencia
   regresar
   ante
   permitir
   futuro
   éxito
   completo
   excusar
   habitación
   célebre

II. Arrange the following words in pairs with opposite meanings:

1. famoso
   triunfo
   olvidar
   temprano
   primero
   éxito
   principio
   verdad

2. fracaso
   último
   desconocido
   tarde
   fin
   derrota
   mentira
   recordar

III. Give the English equivalent of each of the following idiomatic expressions. Imitate six of them in original sentences.

1. Es lástima oponerse a su carrera. 2. Hágalo esperar una hora. 3. Tengo que pedir a usted un consejo. 4. El joven sabía hablar bien. 5. Lo hizo ir a su casa muchas veces. 6. No se olvide de mis consejos. 7. Tuvo mucho éxito en el teatro. 8. Por eso fué a hablarle de su hijo. 9. Vive en casa de su madre. 10. Volvió a hablar del mismo asunto.

CIEN PESETAS PERDIDAS

ERAN las doce y media de la noche y el espectáculo acababa de terminar. El público se dirigía a las puertas de salida del teatro. Uno de los empleados dijo agitado a su compañero:

— Mire lo que acabo de encontrar debajo del asiento número dos de la sexta fila.[1] ¡Un collar de perlas!

— ¡Qué precioso! Debe de valer una fortuna.

— ¡Qué poco cuidado tienen estas mujeres modernas con sus joyas! La que[2] perdió este collar no merece volver a verlo.

El director del teatro se acercó a los dos hombres y preguntó:

— ¿Qué pasa?

— Acabo de encontrar esto — respondió el empleado.

El director tomó la joya y la examinó.

— ¡Caramba! ¡Qué lindo collar! — dijo haciendo pasar entre sus dedos las perlas una a una.

— ¡ Sesenta y tres perlas! Vengan ustedes conmigo. Vamos a guardarlo en la caja fuerte. Si mañana no vienen a reclamarlo, lo entregaremos a la policía.

Muy cerca de ellos estaba una señora. Había pasado demasiado tiempo en arreglar su sombrero, ⁵ escuchando la conversación de los empleados. Por fin, se decidió a ª irse.

Los empleados desaparecieron en el interior del teatro.

A las cuatro de la tarde ᵇ del día siguiente, una ¹⁰ señora se presentó ante el director del teatro.

— Anoche — dijo muy confusa — perdí un collar de perlas en este teatro.

— ¿ Qué asiento ocupaba usted?

— El número dos de la sexta fila. ¹⁵

— ¿ Puede usted decirme cuántas perlas tenía el collar?

— Sesenta y tres.

El director sonrió con mucha amabilidad y dijo:

— Cálmese usted, señora. Uno de nuestros em- ²⁰ pleados encontró la joya. Voy a dársela a usted inmediatamente. ¿ Quiere usted tener la bondad de firmarme ᶜ un recibo?

— Con mucho gusto — contestó la dama cada vez más ³ agitada. ²⁵

Después de firmar el recibo, el director le entregó el collar diciendo:

— ¿ Lo conoce usted?

— Sí, es el mismo.

Y al poner la joya en su bolsa la señora sacó un ³⁰

billete[4] de cien pesetas, lo puso sobre la mesa y dijo:

— Señor, hágame el favor de entregar este billete al empleado que encontró el collar.

5   Y, despidiéndose, salió de la oficina.

Pasaron dos horas. Otra señora joven, bonita y muy elegante, llegó a la oficina del director.

— Señor, vengo aquí — dijo con indiferencia — porque anoche perdí un collar de perlas. No sabría
10 decir si fué aquí, en el asiento número dos de la sexta fila, en el restaurante o en el taxi que tomamos al salir del teatro. Estuve en el restaurante y allí me dijeron que no han encontrado nada. Por eso me decidí a molestarlo.

15 El director se puso muy pálido y con mucha dificultad pudo decir:

— Pero... ¿ cómo era el collar?

— De perlas. Ya se lo he dicho.

— Y... ¿ cuántas perlas tenía?

20 — Sesenta y tres.

El buen hombre empezó a andar rápidamente de un lado a otro por la oficina y a tirarse del pelo[d] con desesperación.

La señora, sin hacer caso de[e] tales señales ner-
25 viosas, preguntó:

— ¿ Ha sabido usted algo de mi collar?

— Sí, señora; hace apenas dos horas recibí la visita de una dama, que me dijo también que había perdido un collar en el mismo lugar.

30 — ¿ Y qué hizo usted?

— Yo, como un tonto, no le pedí ni informes ni identificación. Solamente le entregué la joya y la hice firmar un recibo. Aquí lo tiene usted. Pero, lo que no me explico es cómo esa mujer, esa ladrona, estaba tan bien informada. Si este recibo no convence a usted, aquí tiene un billete de cien pesetas

que dejó ella de propina[5] para el empleado que encontró la joya.

La señora no pudo contener la risa.

— ¡ Cien pesetas ! ¿ Ha dejado cien pesetas ?

— Sí, señora, cien pesetas.

— Pues se ha engañado la pobre tonta. ¡ Cien pesetas perdidas ! Mi collar no es nada más que una buena imitación. He pagado por él únicamente la enorme suma de diez pesetas en una de las tiendas.

— ¡ Qué buena noticia me da usted, señora. Yo creía que usted había perdido un collar de perlas verdaderas. Permítame ofrecerle las cien pesetas para compensar su pérdida y la molestia de haber venido aquí.

— ¡ Oh, no, señor ! Quien debe ser recompensado

es su empleado por su honradez. Debe usted darle las cien pesetas, pues él las merece.

¹ *row*
² *The one who*
³ *more and more*
⁴ *bill*
⁵ *as a tip*

CUESTIONARIO

1. ¿A qué hora terminó el espectáculo? 2. ¿Qué había encontrado un empleado? 3. ¿Qué hizo el director? 4. ¿Quién estaba muy cerca de los empleados? 5. ¿Quién se presentó al día siguiente? 6. ¿Qué hizo el director? 7. ¿Qué propina dió la señora al director? 8. ¿Para quién era el dinero? 9. ¿Quién llegó dos horas después? 10. ¿Por qué fué a la oficina del director? 11. ¿Cuánto había pagado la señora por el collar? 12. ¿Por qué recibió el empleado las cien pesetas?

VOCABULARY

anoche *last night*
el collar *necklace*
el dedo *finger*
encontrar *to find*
firmar *to sign*
guardar *to keep*
la honradez *honesty*
lindo, –a *pretty*

merecer *to deserve*
la noticia *news*
el número *number*
irse *to go away*
el recibo *receipt*
la risa *laughter*
sonreír *to smile*
valer *to be worth*

COGNATES

What English words and meanings do you recognize from the following?

agitado, –a
la amabilidad
calmarse

compensar
confuso, –a
convencer

la conversación
desaparecer
la dificultad

elegante	informar	precioso, –a
el espectáculo	moderno, –a	reclamar
la identificación	nervioso, –a	el restaurante
la indiferencia	la perla	la suma

OPPOSITES

la salida	la entrada	joven	viejo
encontrar	perder	demasiado	poco
el interior	el exterior	entregar	recibir
poner	quitar	rápido	lento
bonito	feo	el gusto	el disgusto

SYNONYMS

pasar	suceder	la fila	la línea
irse	marcharse	andar	caminar
el asiento	el puesto	la noticia	la nueva
poner	colocar	la honradez	la honestidad

IDIOMS

(a) decidirse a *to decide to*
(b) a las cuatro de la tarde *at four o'clock in the afternoon*
(c) tener la bondad de + inf. *to be good enough to + inf.*
(d) tirarse del pelo *to pull one's hair*
(e) hacer caso de *to pay attention to*

EJERCICIO DE COMPRENSIÓN

Arrange the following sentences so as to give a summary of the story:

1. Al día siguiente una señora recibió el collar.
2. La primera señora había dejado cien pesetas.

3. Un empleado halló un collar de perlas.
4. Ella creía que era un collar de perlas verdaderas.
5. Una señora escuchaba la conversación.
6. La señora firmó un recibo al director.
7. El collar sólo era una buena imitación.
8. Otra señora llegó al teatro dos horas después.
9. El director guardó el collar en la caja fuerte.
10. Dijo al director que había perdido su collar.

ESTUDIO DE PALABRAS

I. Arrange the following words in pairs with like meanings:

1.	2.
pasar	colocar
irse	línea
asiento	suceder
poner	marcharse
fila	honestidad
andar	caminar
noticia	nueva
honradez	puesto

II. Arrange the following words in pairs with opposite meanings:

1.	2.
salida	quitar
encontrar	feo
interior	disgusto
poner	viejo
bonito	entrada
joven	perder
demasiado	poco
entregar	recibir
rápido	lento
gusto	exterior

III. Give the English equivalent of the following idiomatic expressions. Write original sentences illustrating the proper use of each expression.

1. Eran *las tres de la tarde.* 2. El público *iba ya a* salir del teatro. 3. *Se decidieron a* hablar al hombre. 4. *Volverá a hacer* eso a las tres. 5. El director *se tiraba del pelo.* 6. *A menudo* hallaban cosas en el teatro. 7. *Acabo de hallar* este collar de perlas. 8. La señora no *hacía caso de* eso. 9. *Por fin* le entregó el collar. 10. *Tuvo la bondad de* darme el collar.

UN PRECIO ORIGINAL

En el espléndido palacio de un hidalgo [1] castellano había una gran animación. Sus criados corrían
de un lado a otro. Preparaban un banquete para los
principales personajes de la antigua y noble ciudad
de Toledo. El hidalgo era un hombre de la vieja aris-
tocracia. Tenía una gran fortuna y siempre quería
servir en su mesa los platos más exquisitos.

Ya habían llegado al hermoso palacio del noble
algunos de sus amigos cuando el mayordomo [2] pidió
permiso para hablarle.

— Señor, — dijo — abajo está un pescador muy
original. Trae un magnífico pescado, pero le pone
un precio . . .

— No hay que [3] hacer caso del precio — contestó
el noble interrumpiéndolo. — Páguele la suma que
pide y haga preparar ese pescado en seguida para el
banquete.

— Me gustaría hacerlo, señor, pero el caso es que
ese pescador no quiere aceptar dinero por el pescado.

— Pues, ¿ qué pide ?

— Pide cien palos, sin omitir uno solo; y pone como condición absoluta que debe recibirlos sobre la espalda desnuda.

— ¡ Eso sí que es curioso ! — exclamó el hidalgo. 5

Comunicó a sus amigos el extraño deseo del pescador; y tan raro les pareció el caso que todos bajaron a ver al curioso personaje. Éste les mostró el pescado.

— ¡ Realmente magnífico ! — afirmó el dueño de 10 la casa. — ¿ Cuánto quiere usted por él, buen hombre ? Pida y en seguida le darán su precio.

— Ya he dicho el precio al mayordomo, señor, — contestó el hombre. — No quiero dinero. Mi único precio por el pescado consiste en ᵃ cien palos bien 15 dados sobre mi espalda desnuda. Aquí, en presencia de usted, noble hidalgo, y de estos distinguidos caballeros que me están oyendo. Si no recibo lo que pido iré a ofrecer el pescado a otra parte.

Aquello tenía todo el aspecto de una broma, pero, 20 la verdad era, que el pescador hablaba en serio.ᵇ Si no recibía lo que pedía, la mesa del hidalgo se vería privada de aquel exquisito plato. Así es que el noble dijo al fin:

— Si no hay otra manera de pagarle, acepto sus 25 condiciones. Está bien,⁴ le darán los cien palos que pide.

Y volviéndose hacia uno de sus criados, el hidalgo ordenó:

— Pague a este buen hombre. Debe de estar ᶜ 30

loco.   Pero, no hay más remedio,[5] tenemos que complacerlo en su extraño deseo.

El caballero y sus amigos se pusieron a un lado, y el pescador comenzó a quitarse la ropa hasta la cintura.[6]

Luego, se preparó a [d] recibir los deseados golpes. Y cuando el criado, que ya había tomado un palo para ejecutar las órdenes de su amo, iba a comenzar el original pago, habló el pescador:

— Mucho cuidado,[7] amigo, cuente bien y en alta voz, porque no quiero recibir ni un golpe más ni uno menos de los que me corresponden.

Le dieron los palos en presencia de todos; y el pescador los recibió sin protesta. El criado contaba:

— Uno . . . dos . . . seis . . . doce . . . veinte . . . cincuenta . . .

— ¡ Basta ! — gritó entonces el singular vendedor. — Con cincuenta palos he recibido ya mi parte del pago.

— ¿ Su parte del pago ? — preguntó el hidalgo asombrado. — ¿ Qué quiere decir [e] usted con eso ? Vamos, explíquese.

— Sí, noble señor, mi parte; porque debe saber usted que tengo un socio en la venta del pescado. Le he dado mi palabra de honor de entregarle la mitad del pago. Mi honor está comprometido.[8] Además, usted comprenderá también que sería injusto privarlo de su parte exacta. De modo que [f] los otros cincuenta palos deben darlos a mi socio y así recibirá su mitad.

— Y dígame, buen hombre, ¿ quién es su socio ? — preguntó el hidalgo cada vez más sorprendido.

— Nada menos que su portero,[9] noble señor, el que está en la puerta principal de su palacio. Cuando llegué no me permitió entrar en la cocina a ofrecer mi mercancía. Fué sólo cuando prometí darle la mitad del precio de la venta que ese bandido me dejó pasar.

— ¡ Vive Dios ! [10] Yo le aseguro a usted, buen hombre, que no le faltará su parte — afirmó el hidalgo con severidad. — La recibirá y sin el menor descuento.

El noble hizo llamar en seguida al portero. Los criados le quitaron la ropa y le dieron cincuenta palos. Luego el hidalgo hizo dar al pescador doce monedas de oro por el pescado. Y después le dijo:

— Venga cada mes y recibirá una moneda de oro en premio del favor que me ha hecho, pues insisto en [g] tener solamente hombres honrados a mi servicio.

[1] *nobleman*	[5] *cannot be belped*	[9] *None other than your*
[2] *steward*	[6] *waist*	*doorman*
[3] *There is no need*	[7] *Be very careful*	[10] *Bless me!*
[4] *All right*	[8] *is at stake*	

CUESTIONARIO

1. ¿ Qué había en el palacio ? 2. ¿ Para quién era el banquete ? 3. ¿ Qué quería servir siempre el hidalgo ? 4. ¿ Qué dijo el mayordomo ? 5. ¿ Qué traía el pescador ? 6. ¿ Cuál era el precio del pescado ? 7. ¿ A qué se preparó el pescador ? 8. ¿ Cómo recibió los palos ? 9. ¿ Qué había prometido al socio ? 10. ¿ Quién era el socio ? 11. ¿ Qué hicieron al portero ? 12. ¿ Qué iba a recibir el pescador cada mes ?

VOCABULARY

asegurar *to assure*	el palo *stick; blow*
la cocina *kitchen*	la parte *share*
desnudo, –a *bare*	el pescado *fish*
la espalda *back*	privar *to deprive*
extraño, –a *strange*	la ropa *clothes*
el golpe *blow*	el socio *partner*
honrado, –a *honest*	la venta *sale*
el pago *payment*	volverse *to turn*

COGNATES

What English words and meanings do you recognize from the following?

afirmar	ejecutar	el permiso
la aristocracia	exquisito, –a	el personaje
el banquete	injusto, –a	la presencia
consistir	justo, –a	el remedio
el descuento	omitir	la severidad

OPPOSITES

hermoso	feo	permitir	prohibir
extraño	común	menor	mayor
siempre	nunca	abajo	arriba
desnudo	cubierto	amigo	enemigo
recibir	dar	injusto	justo

SYNONYMS

espléndido	magnífico	ordenar	mandar
el hidalgo	el noble	entregar	dar
viejo	antiguo	permitir	dejar
original	raro	el premio	la recompensa
único	solo	sólo	solamente

IDIOMS

(a) consistir en *to consist of*
(b) en serio *seriously*
(c) deber de estar *must be*
(d) prepararse a (para) *to get ready to*
(e) querer decir *to mean*
(f) de modo que *so then, so that*
(g) insistir en *to insist on*

EJERCICIO DE COMPRENSIÓN

Complete the following statements in accordance with the story:

1. El hidalgo castellano tenía un ——.
2. El mayordomo dijo al noble que había ——.
3. Quería por el pescado —— original.
4. El precio que quería era —— palos.
5. Todos bajaron a ver al ——.
6. El pescador se quitó la ropa para ——.
7. Su parte del pago sólo era de ——.
8. El socio del pescador era —— del palacio.

ESTUDIO DE PALABRAS

I. Arrange the following words in pairs with like meanings:

1.	2.
espléndido	noble
hidalgo	magnífico
viejo	antiguo
original	dar
ordenar	dejar
entregar	mandar
permitir	raro

II. Arrange the following words in pairs with opposite meanings:

1. hermoso
   extraño
   siempre
   desnudo
   recibir
   permitir
   menor
   abajo

2. cubierto
   dar
   feo
   prohibir
   mayor
   común
   nunca
   arriba

III. Give the equivalent of the following idiomatic expressions. Form sentences of your own in which you use six of these idioms.

1. El noble *insistió en* pagar al pescador. 2. ¿ Qué *querían decir* estas palabras? 3. El noble no *hizo caso del* pescador. 4. El hombre *debe de estar* enfermo. 5. No *hay más remedio,* compre el pescado. 6. *Mucho cuidado,* sólo cien palos. 7. *De modo que* no recibió el pago que pedía. 8. Se preparó a *decir algo,* pero no pudo. 9. El precio *consistía en* diez monedas de oro. 10. *Era nada menos que* el padre del hidalgo.

BUENOS NEGOCIOS

Don Rafael, jefe de una gran tienda, era un hombre honrado y amante de la paz. Vivía en los alrededores de la ciudad de Méjico, el antiguo centro de la civilización azteca.

Como era muy distraído [1] tenía siempre la mala suerte de perder su paraguas.[2] ¡Cuántos paraguas había perdido en su vida don Rafael! Y lo peor es que no solamente perdía los suyos, sino los de Marta, su esposa; también los de su hija y los de su hijo; en fin,[a] hasta perdía los de sus amigos y los de su criada.

Aquella mañana no había un solo paraguas en la casa de don Rafael. ¡Y cómo llovía! Llovía a cántaros.[b]

Doña Marta también quería salir a visitar a una amiga. Al ver que no había un paraguas en la casa no pudo ir. Se puso tan furiosa que el pobre don Rafael tembló de pies a cabeza.

— Hoy mismo vas a comprar cinco paraguas, ¿ me oyes? — le gritó la esposa. — ¡ Cinco paraguas ... y no llegues aquí sin ellos !

Don Rafael no contestó nada. Ya era hora de[o] salir y además no quería discutir con su esposa.

Durante el corto viaje de media hora hacia su oficina, don Rafael meditó mucho. Pensaba en la escena que lo esperaba, si volvía a su casa por la noche sin los paraguas.

Don Rafael, distraído como siempre, al bajar en la estación, tomó un paraguas que encontró a su lado. Esto causó grandes protestas de parte de[d] su dueño, un venerable anciano. Don Rafael se puso rojo[e] de vergüenza. Pidió mil excusas y se escondió entre la multitud.

Por primera vez en su vida don Rafael había sido tomado por ladrón. Se sintió muy triste todo el día y no pudo consolarse.

Trabajó mucho en su tienda ese día, como de costumbre.[f] A las ocho de la noche los empleados salieron uno por uno. Cuando salió también don Rafael vió que la calle estaba convertida en un río; y sólo entonces recordó la orden de su esposa. Volvió a entrar y se dirigió al departamento de paraguas y tomó cinco.

Después de escogerlos volvió a su oficina, y cargó en su cuenta cinco paraguas, cuyos marbetes[3] quitó con cuidado.

Don Rafael no envolvió los paraguas; y salió a la calle con uno abierto y cuatro debajo del brazo.

Llegó a la estación y subió al tren. Su mala suerte
lo colocó otra vez junto al venerable anciano que
había sido su compañero de viaje por la mañana. El
anciano miró a don Rafael con cierta desconfianza.[4]
Después notó los cinco paraguas que había puesto   5
a un lado [g] y dijo en voz muy alta, con mucho desprecio [5]:

— ¿Buenos negocios hoy, eh? No ha perdido usted el día. ¡Cinco paraguas! Eso se llama aprovechar [h] el tiempo.   20

| [1] absent-minded | [3] tags | [5] scorn |
| [2] umbrella | [4] mistrust | |

CUESTIONARIO

1. ¿Quién era don Rafael? 2. ¿Qué perdía siempre? 3. ¿Qué
paraguas perdía? 4. ¿Por qué se puso furiosa doña Marta?
5. ¿Qué ordenó a su marido? 6. ¿Qué hizo don Rafael en el
tren? 7. ¿Por quién lo tomó el anciano? 8. ¿Qué tal pasó
el día don Rafael? 9. ¿Qué recordó al salir a la calle?
10. ¿Dónde lo colocó otra vez su mala suerte? 11. ¿Cómo
lo miró el anciano? 12. ¿Qué dijo cuando notó los cinco
paraguas?

VOCABULARY

los alrededores *suburbs*	hacia *toward*
amante de *fond of*	honrado, –a *honest*
cargar *to charge*	junto a *near*
colocar *to put*	llover *to rain*
la cuenta *account*	recordar *to remember*
discutir *to argue*	el río *river*
envolver *to wrap up*	la vergüenza *shame*

COGNATES

What English words and meanings do you recognize from the following?

causar	la escena	notar
consolarse	la estación	ordenar
convertir	la excusa	la parte
la costumbre	meditar	la protesta
el departamento	la multitud	el tren

OPPOSITES

triste	contento	hacia	desde
también	tampoco	recordar	olvidar
perder	encontrar	junto a	lejos de
comprar	vender	salir	entrar
corto	largo	tomar	dejar

SYNONYMS

amante de	amigo de	la costumbre	el hábito
furioso	irritado	el cuidado	la atención
ordenar	mandar	junto a	cerca de
esperar	aguardar	volver	regresar
la excusa	el perdón	meditar	pensar

IDIOMS

(a) en fin *in short*
(b) llover a cántaros *to pour*
(c) era hora de *it was time to*
(d) de parte de *from, on the part of*
(e) ponerse rojo *to blush*
(f) como de costumbre = como siempre *as usual*
(g) poner a un lado *to put aside*
(h) aprovechar = aprovecharse de *to take advantage of*

EJERCICIO DE COMPRENSIÓN

Arrange the following sentences so as to give a summary of the story:

1. Vió al mismo anciano por la noche.
2. Una mañana llovía a cántaros.
3. Don Rafael era un hombre muy honrado.
4. Escogió cinco paraguas para su casa.
5. La esposa le pidió cinco paraguas.
6. El anciano le habló con mucho desprecio.
7. Había perdido muchos paraguas en su vida.
8. Don Rafael fué tomado por ladrón.
9. Distraído, tomó el paraguas de un anciano.
10. No había un solo paraguas en la casa.
11. Don Rafael era jefe de una gran tienda.
12. Recordó la orden de su esposa.

ESTUDIO DE PALABRAS

I. Arrange the following words in pairs with like meanings:

1.	2.
amante de	dirigirse
furioso	aguardar
ordenar	pensar
esperar	irritado
excusa	amigo de
solamente	viejo
costumbre	mandar
cuidado	atención
ir	perdón
junto a	hábito
volver	cerca de
meditar	regresar
antiguo	sólo

II. Arrange the following words in pairs with opposite meanings:

1.	2.
triste	largo
también	dejar
perder	encontrar
comprar	contento
corto	entrar
hacia	vender
recordar	lejos de
junto a	desde
salir	olvidar
tomar	tampoco

III. Match the following idiomatic expressions with their English meanings:

1. Su esposa se puso roja.	a.	He lost it again.
2. Era hora de entrar.	b.	Yesterday it poured.
3. Está como siempre.	c.	In short, he said nothing.
4. Me aproveché de eso.	d.	He spoke as usual.
5. Ayer llovió a cántaros.	e.	It was time to enter.
6. Acéptelo de parte de él.	f.	He is as usual.
7. Lo puso a un lado.	g.	His wife blushed.
8. Habló como de costumbre.	h.	I took advantage of that.
9. En fin, no dijo nada.	i.	He put it aside.
10. Lo perdió otra vez.	j.	Accept it from him.

DUEÑO DE LA SITUACIÓN

En la fonda de una calle solitaria de Colón, en Panamá, no había nadie una tarde. El día había sido el peor de la semana para los negocios. Ya eran las cuatro cuando entró un hombre. Era éste alto, fuerte, corpulento, — casi un gigante, con ojos negros y penetrantes y el rostro cubierto de una barba larga y espesa.

— ¡ Camarero ! — gritó con voz de trueno.[1] — Tengo hambre y sed. Tráigame algo de comer y una botella de buen vino.

El camarero, muerto de miedo, corrió a la cocina; y a los pocos minutos[a] sirvió al hombre una comida excelente, con una botella del mejor vino de la casa. Comió el hombre con tan buen apetito que dejó vacíos todos los platos en un cuarto de hora. Después de la comida, el forastero[2] preguntó al camarero:

— ¿ Hay un buen barbero cerca de aquí ?

— Hay uno no muy lejos. Si el señor quiere afeitarse[3] lo llamaré en seguida.

Y sin perder tiempo el camarero, con el miedo pintado en la cara, mandó buscar [b] al barbero.

Con la caja de instrumentos en una mano y el sombrero en la otra, entró el barbero, haciendo una
5 profunda reverencia.

— ¿ En qué puedo servir a usted, caballero ?

— Me dicen que usted es un buen barbero — gritó el hombre. — Usted va a afeitarme, pero le advierto que tengo la piel muy delicada. Si me afeita sin
10 cortarme, le daré una moneda de un peso; pero si me corta, lo mataré como un perro. Y no será usted el primer barbero que he matado en mi vida. Conque, mucho cuidado, o pronto estará usted tan muerto como mi abuelo.

15 Al oír estas palabras el pobre barbero se puso pálido como un muerto y empezó a temblar de pies a cabeza. El forastero había sacado y puesto sobre la mesa una enorme pistola. Ese nuevo peligro aumentó el miedo del barbero. Además, la voz de trueno del
20 raro personaje le había espantado de tal manera que el pobre se había quedado petrificado. Tanto fué el miedo que sintió de perder su vida que apenas tuvo fuerzas para decir:

— Perdone usted, caballero. Yo soy bastante
25 viejo y mi mano tiembla un poco. Creo que mi joven oficial,[4] que es muy hábil, podrá afeitarlo a su entera satisfacción.

Y con estas palabras abrió la puerta y salió de la fonda. Cuando se halló en la calle, dió gracias a [c]
30 Dios por haber tenido la buena suerte de escaparse

vivo, y pensó: « Ese monstruo es el diablo en persona. No quiero correr el riesgo de perder la vida.
Después de todo, tengo que pensar en mi numerosa
familia. Haré venir a mi oficial que sólo tiene que
mantener a su esposa. »

Poco después [d] entró un joven en la fonda.

— Mi amo el maestro barbero me mandó para . . .

— Afeitarme — interrumpió el gigante. — Me dice
que usted es un excelente barbero. Si usted me
afeita sin cortarme, le daré una moneda de un
peso; pero si me corta, ¡ pobre de usted! [5] puede
considerarse tan muerto como Noé.

Al oír esto el oficial del barbero se puso tan pálido
como su amo y apenas tuvo fuerzas para replicar:

— Soy muy hábil y tengo una mano segura. Ten-
dría mucho gusto en [e] afeitarlo, pero veo que usted tiene una barba muy espesa. Necesito una
navaja [6] bien afilada [7] y por ahora [f] no tengo ninguna en mi caja. Voy a enviar al aprendiz [8] que
ha afilado [9] sus navajas esta misma mañana. Lo
mandaré en seguida.

Y así diciendo el oficial salió temblando por la
puerta. Al salir dijo para sí: « ¿ Es ese barbón [10]
hombre o diablo? Con esa cara que tiene es capaz
de matarme. Haré venir al aprendiz que es muy
joven e inteligente. Él no tiene familia y podrá
correr el peligro mejor que yo. »

A los pocos minutos llegó el aprendiz a la fonda.
Era un muchacho de unos dieciséis años, de ojos
vivos y de cara muy inteligente

— ¡ Hola, chico ! — rugió [11] el cliente. — ¿ Conque tú vas a afeitarme, eh? Pues bien, aquí está una moneda de un peso y es tuya si me afeitas sin cortarme. Y eso no va a ser muy fácil, pues tengo la piel muy delicada.

El aprendiz se quedó pensando un momento así: « Con ese peso puedo comprar muchas cosas para mi madre. Voy a afeitarlo, pero si ese monstruo mueve la cabeza y lo corto, ya sé lo que voy a hacer. »

Con toda calma, el joven barbero sacó los instrumentos de la caja para afeitar al gigante, y luego lo hizo sentar en una silla. A los diez minutos el muchacho terminó felizmente de afeitarlo, a la entera satisfacción del hombre gigante.

— Aquí está tu dinero, chico. Eres más valiente que tu maestro y su oficial. Mereces lo que has ganado y algo más. Pero, dime, ¿ no tenías miedo mientras me afeitabas?

— ¿ Qué, tener miedo yo? ¿ Por qué? ¿ No estaba usted en mi poder? Yo era dueño de la situación. Al ver la primera gota de sangre, yo le habría cortado a usted el cuello.

Al oír estas palabras, fué el gigante quien sintió

miedo y a su vezᵍ se quedó pálido y temblando.
Había estado muy cerca de la muerte por vez primera,
y a la merced de un niño.

[1] *thunder*	[5] *poor you!*	[9] afilar *to sharpen*
[2] *stranger*	[6] *razor*	[10] *long-bearded one*
[3] afeitar(se) *to shave*	[7] *sharp*	[11] rugir *to roar*
[4] *assistant*	[8] *apprentice*	

CUESTIONARIO

1. ¿ Dónde estaba la fonda? 2. ¿ Cómo había sido el día?
3. ¿ Quién entró en ella? 4. ¿ Qué tal era el hombre? 5. ¿ Con
qué voz gritó? 6. ¿ Qué hizo el camarero? 7. ¿ Por quién
preguntó el forastero? 8. ¿ Qué tal era la piel del hombre?
9. ¿ Cómo se puso el barbero al oírlo? 10. ¿ Qué había puesto
el hombre sobre la mesa? 11. ¿ Quién llegó después?
12. ¿ Cómo se puso el oficial? 13. ¿ Quién llegó por fin?
14. ¿ Qué podía hacer el aprendiz con el dinero? 15. ¿ Qué
tal afeitó al hombre? 16. ¿ Qué le preguntó el forastero?
17. ¿ Qué contestó el muchacho? 18. ¿ Quién sintió miedo
entonces?

VOCABULARY

la barba *beard*	el miedo *fright, fear*
el cuello *neck*	el monstruo *monster*
espeso, –a *coarse*	el peligro *danger*
la fonda *inn*	la piel *skin*
la fuerza *strength*	el riesgo *risk*
el gigante *giant*	la sangre *blood*
la gota *drop*	seguro, –a *steady*
la merced *mercy*	vacío, –a *empty*

COGNATES

What English words and meanings do you recognize
from the Spanish words at the top of page 176?

el apetito	corpulento, –a	el instrumento	penetrante
el barbero	delicado, –a	inteligente	petrificado, –a
la calma	entero, –a	el minuto	la pistola
considerarse	escaparse	numeroso, –a	la satisfacción

OPPOSITES

muerto	vivo	vacío	lleno
mejor	peor	enorme	pequeño
fuerte	débil	viejo	joven
largo	corto	el gigante	el enano
el miedo	el valor	valiente	cobarde

SYNONYMS

el rostro	la cara	el diablo	el demonio
pálido	blanco	el riesgo	el peligro
el muerto	el cadáver	mandar	enviar
entero	completo	la calma	la tranquilidad
la fonda	la posada	el miedo	el temor

IDIOMS

(a) a los pocos minutos *a few minutes later, after a few minutes*
(b) mandar buscar = mandar llamar *to send for*
(c) dar gracias a *to thank*
(d) poco después *soon after*
(e) tener gusto en *to be glad to*
(f) por ahora *for the present, right now*
(g) a su vez *in his turn*

EJERCICIO DE COMPRENSIÓN

Arrange the following sentences so as to form a summary of the story:

1. El camarero sirvió una comida excelente.
2. Poco después llegó el segundo barbero.

3. Un forastero entró en la fonda de Colón.
4. Un muchacho lo afeitó y recibió un peso.
5. Cuando el barbero vió la pistola salió de allí.
6. El camarero corrió a la cocina muerto de miedo.
7. El barbero no hizo nada porque era viejo.
8. El hombre que entró era alto y fuerte.
9. El camarero mandó llamar al barbero.
10. El forastero dijo que quería afeitarse.

ESTUDIO DE PALABRAS

I. Arrange the following words in pairs with like meanings:

1. rostro	2. posada
pálido	temor
muerto	cara
entero	blanco
fonda	peligro
diablo	tranquilidad
riesgo	cadáver
calma	completo
miedo	demonio

II. Arrange the following words in pairs with opposite meanings:

1. mejor	2. valor
muerto	lleno
fuerte	peor
largo	débil
miedo	pequeño
vacío	corto
enorme	vivo
viejo	cobarde
gigante	joven
valiente	enano

III. Translate the following sentences, using the idiomatic expressions between parentheses:

1. After a few minutes the barber arrived (*a los pocos minutos*). 2. They sent for the barber (*mandar buscar*). 3. The poor barber trembled from head to foot (*de pies a cabeza*). 4. He was not afraid of the man (*tener miedo a*). 5. The stranger was afraid in his turn (*a su vez*). 6. Soon after the apprentice came (*poco después*). 7. I cannot call him for the present (*por ahora*). 8. I shall be glad to do it (*tener gusto en*). 9. Poor you, if you do not answer (*pobre de usted*)! 10. I shall thank him tomorrow (*dar gracias a*).

LA CAMPANA DE SAN GABRIEL

I

CERCA de Sevilla había una aldea muy pobre y humilde. Pero algo la distinguía de las otras tan pobres como ella: la fundición[1] de campanas de Pablo Ruelas. Allí se hacían grandes campanas que después se enviaban por el mundo entero. 5

Era el año de 1730. Todo estaba preparado para la fundición[2] de una campana. Cuando fundían[3] una campana, toda la gente del lugar presenciaba[4] el trabajo, como también después la ceremonia de la consagración. En el grupo aquel día había un niño 10 llamado Miguel. Tenía doce años, cabellos y ojos de un negro intenso y cara de ángel. Sabía el niño que Ruelas deseaba un pedazo de plata para echarlo en el ardiente metal. Pero no había plata en el lugar, sólo cobre. Sin embargo, en la mano pequeña de 15 Miguel había una moneda de plata, regalo de un viajero. Era la primera que había poseído el niño en toda su vida. Representaba para él una fortuna.

El metal estaba listo para ser vertido [5] en el molde. Ruelas pensaba que era inútil pedir su acostumbrada contribución de plata para la campana. ¿Quién iba a tenerla en un lugar tan pobre y en tan mala época? Pero era parte de la ceremonia. Una campana tenía un sonido mucho más sonoro si contenía un poco de plata. Por eso se decidió a preguntar por fin:

— ¿ Quién quiere ofrecer un poco de plata para la campana?

Miguel, con un impulso de generosidad, entregó su moneda al asistente de Ruelas.

— No, hijo mío, — dijo éste — tu moneda no, pues la necesitas mucho.

Miguel insistió. Era un sacrificio que hacía con mucho gusto. En algún lugar lejano sonaría la campana y su sonido sería más sonoro y más dulce si contenía su moneda de plata.

Como insistió tanto el chico, fué aceptada la moneda y cayó en el ardiente metal. La plata al caer formó una llama extraña y Ruelas dijo:

— Tu ofrenda [6] será bendecida, Miguel. Esa llama tan diferente a las otras lo anuncia así.

Al sacar la campana del molde fué pulida [7] su dura superficie. Y cuando se probó su sonido fué argentino, sonoro y armonioso. Miguel, muy interesado, no salía de la fundición mientras duraba el trabajo. Le parecía que la campana era su propiedad, se creía dueño de ella.

Por fin estuvo terminada. Y la campana quedó tan perfecta que los habitantes del pueblo insistieron en llamarla Ángelus. Querían llamarla así porque los españoles no olvidan nunca la hora del Ángelus. La campana que llama a esa oración, a las seis de la tarde, debe ser sonora para ser oída muy lejos. Todos al oírla dejan por un momento lo que están haciendo para rezar con devoción el Ángelus.

En la ceremonia de la consagración Miguel tuvo el puesto de honor. El niño se sentía lleno de emoción. El obispo bendijo la campana y terminó la ceremonia diciendo:

— Te nombro Ángelus, te bendigo y quedas consagrada. Tu sonido será símbolo de paz y de bendición.

Y Miguel se sintió muy orgulloso cuando Ruelas le dijo al oído:

— Miguel, ahora quedas unido a esa campana con algo que nada podrá romper.

II

Pasaron los años y Miguel se hizo ª monje. Pidió ser enviado como misionero a la lejana América. Sabía que allí había una gran misión: la de convertir a la santa religión a miles y miles de indios. Poseía el nuevo monje el espíritu de los conquistadores y no tenía miedo a nada.

Durante el largo viaje el misionero empezó su trabajo. Cuidó a los enfermos y consoló a los que iban a morir. Llegó a Méjico y se dirigió a la ciudad de San Diego. Ayudaba siempre a todos los que encontraba en su camino; y les enseñaba la religión al mismo tiempo.

Su trabajo entre los indios era pesado y difícil. Algunos españoles sin escrúpulo, no cumpliendo sus deberes y sus leyes, los habían tratado muy mal. Por esa razón el misionero sentía mucha compasión por los pobres indios. Trabajó mucho a su favor,[8] hizo lo posible [9] por remediar su triste situación y era un verdadero padre para ellos. Su eterno deseo era ver vivir en paz a españoles e indios.

En compañía de un indio a quien había convertido, llamado Chala, recorría el padre Miguel el territorio mejicano. Como siempre, hacía mucho bien [b] en todas partes.[c] Ya llegaban al fin del valle de San Gabriel, donde se iba a establecer el padre en la misión, cuando vió a muchos indios trabajando en los campos.

— ¿ Hasta qué hora trabajan, Chala ? — preguntó el monje.

— Hasta la caída del sol, cuando se oye la campana del Ángelus.

¡ El Ángelus ! El nombre trajo a la memoria del misionero los días de su infancia. Recordó también la campana de sonoro y dulce sonido que había visto consagrar. Y, de repente, oyó en la distancia sonar una campana con sonido familiar. Le pareció oír la

voz de un viejo amigo y se sintió muy emocionado.[10]
Vió que los indios se ponían de rodillas [d] a rezar.

— ¡Qué oigo, Dios mío! ¡Ese sonido! ¡Esa
campana! Debe de ser mi campana, Chala — dijo
a su compañero. — No puede ser otra. Llévame
adonde está. ¡Pronto!

Estaba la campana en la misión donde iba a vivir
el padre Miguel. Chala lo condujo a la torre donde
estaba colgada. Al subir la escalera el padre temblaba lleno de emoción. ¿Iba a encontrar su campana?

Leyó la inscripción que tenía y decía: « Ángelus.
Ruelas. 1730. »

El padre cayó de rodillas y exclamó:

— ¡Gran Dios, qué bueno eres! ¡Gracias mil
por haber encontrado tan cerca mi campana!

III

Muchos años pasó en la misión de San Gabriel el
padre Miguel. Todas las noches a la hora del Ángelus
sonaban las melodiosas notas de su campana. Era
oída por todos desde muy lejos. Durante esos momentos de oración todos eran amigos; aunque
había todavía algunos españoles que no trataban
bien a los indios, a pesar de los esfuerzos del padre
Miguel.

Una noche Chala avisó al misionero que los indios
se habían rebelado. Le aconsejó huír para salvar su
vida. Los indios rebeldes tiraban flechas [11] de fuego

por todas partes [e] y mataban a todos los españoles que encontraban a su paso. Pero, el padre Miguel en vez de [f] escaparse salió a hablar a los indios que ya llegaban a la misión. Admitió que tenían razón [g] en
5 estar indignados. Los habían tratado muy mal y él era el primero en declararlo. Pero, ¿ esperaban vencer con las armas? Nunca. Ganarían más perdonando a los españoles en vez de matarlos. ¿ Por qué no abandonaban sus armas y volvían a su casa?
10 Dios mandaba paz, perdón y amor entre todos, como él les había enseñado tantas veces.

Los indios oyeron en silencio las palabras del misionero; y le obedecieron porque lo respetaban y lo querían mucho.
15 El trabajo y los cuidados del padre Miguel se hacían cada vez más pesados. Pero no se cansaba ni olvidaba sus deberes nunca. Con paciencia infinita, instruía a los indios, los cuidaba, los ayudaba y les enseñaba los principios de la agricultura. Y
20 no pocas veces hacía largos viajes [h] en el ejercicio de su santa misión.

La misión de San Gabriel se convirtió en [i] una de las mejores y más eficaces de California, bajo la dirección experta del padre Miguel. Por todas
25 partes era su nombre conocido y muy respetado. Todos sabían los muchos sacrificios que hacía constantemente; y su trabajo progresaba. El único placer del misionero era regresar siempre a su misión, aun desde muy lejos, a tiempo para tocar él mismo el
30 Ángelus en su querida campana. [j] A veces, [k] pasaba

¿ Esperaban vencer con las armas ?

la noche y el día andando para llegar a tiempo de hacerlo. Su dulce sonido despertaba siempre en el corazón de todos el recuerdo del santo padre Miguel, pues todos sabían que era él quien tocaba la campana
5 todas las tardes.

➤ La vejez y su duro trabajo hicieron perder la fuerza y la salud al misionero. Estaba enfermo y ya bastante anciano. Mas su misión estaba casi terminada. Un día se supo que el buen padre estaba
10 a punto de [1] morir.

Los indios asusta-
dos se reunieron
alrededor de la mi-
sión a rezar por su
15 querido protector.
Todos estaban muy
agradecidos por sus
muchos favores.

Caía la noche.
20 En su humilde
cama, el padre
Miguel se sentó
diciendo con voz
que apenas se oía:

25 —Chala, es la hora del Ángelus. Tengo que to-car mi campana.

—Padre mío, yo la tocaré; me había olvidado— respondió Chala con los ojos llenos de lágrimas.

De repente, los dos se quedaron mudos, mirándose
30 con profundo asombro. ¿Qué era lo que oían? Eran

los dulces sonidos de la campana. Una alegre luz
iluminó los ojos casi sin vida del padre Miguel y
exclamó con dificultad:

— ¡ Mi campana! ¡ Suena mi campana! ¡ El
Ángelus! ¡ En la paz, en la desgracia, en la salud, 5
en la enfermedad! ¡ Gracias, Dios mío! ¡ Madre de
Dios, protege siempre a mis pobres indios!

Y no se oyó más la voz del santo padre Miguel.

Chala salió a la puerta de la misión para anunciar
que el padre Miguel había muerto. 10

— ¿ Pero, cómo puede estar muerto? — gritó uno
de los indios. — Oímos sonar la campana, como sólo
él sabe tocarla. Se movió la cuerda, como la mueve
él. ¿ Quién la tocaba entonces?

— ¡ Es un milagro! — respondió Chala. — Nadie 15
tocaba la campana.

— ¿ Nos quiere usted decir que la campana tocaba
sola? ¿ Que quería dar la despedida [m] al padre Miguel de la tierra? — preguntaron sorprendidos.

— No, — contestó Chala — la campana ha sonado 20
sola el Ángelus para dar la bienvenida [n] a nuestro
querido padre en el cielo.

[1] *foundry*
[2] *casting*
[3] fundir *to cast*
[4] presenciar *to witness*
[5] verter *to pour*
[6] *offering, gift*
[7] pulir *to polish*
[8] *in their behalf*
[9] *everything possible*
[10] *touched*
[11] *arrows*

CUESTIONARIO

I. 1. ¿ Qué había cerca de Sevilla? 2. ¿ Para qué estaba preparado todo un día? 3. ¿ Quién estaba en el grupo ese día?
4. ¿ Cuántos años tenía el niño? 5. ¿ Qué deseaba Ruelas?

6. ¿ Qué tenía Miguel en la mano? 7. ¿ Cuándo tenía la campana un sonido más sonoro? 8. ¿ Qué entregó Miguel al asistente? 9. ¿ Qué tal fué el sonido de la campana? 10. ¿ Cómo llamaron la campana? 11. ¿ Por qué se sintió Miguel muy orgulloso cuando Ruelas le habló?

II. 1. ¿ Qué se hizo Miguel con los años? 2. ¿ Qué gran misión había en América? 3. ¿ A qué país llegó el misionero? 4. ¿ Qué tal era su trabajo? 5. ¿ Qué deseaba siempre? 6. ¿ A dónde llegó con Chala? 7. ¿ Hasta qué hora trabajaban los indios? 8. ¿ Qué oyó el padre en la distancia? 9. ¿ Qué inscripción había en la campana? 10. ¿ Por qué cayó de rodillas el misionero? 11. ¿ Por qué dió gracias a Dios el misionero cuando vió su campana?

III. 1. ¿ Cuántos años pasó el padre Miguel en la misión? 2. ¿ Cuándo se oía la campana? 3. ¿ Por qué obedecieron los indios al misionero? 4. ¿ En qué se convirtió la misión de San Gabriel? 5. ¿ Cuál era el único placer del padre Miguel? 6. ¿ Qué sabían todos a la hora del Ángelus? 7. ¿ Qué se supo un día? 8. ¿ Qué oyeron de repente el misionero y Chala? 9. ¿ Qué salió a anunciar Chala? 10. ¿ Cuál había sido el milagro? 11. ¿ Para qué dijo Chala a los indios que la campana había sonado el Ángelus?

VOCABULARY

agradecer *to be grateful*
el asombro *astonishment*
bendecir *to bless*
la campana *bell*
el cobre *copper*
colgar *to hang*
la desgracia *misfortune*
la escalera *stairs*
la lágrima *tear*
la luz *light*

el monje *monk*
la oración *prayer*
orgulloso, –a *proud*
la plata *silver*
el principio *principle*
recorrer *to go through*
el recuerdo *remembrance*
rezar *to pray*
sonar *to sound*
la torre *tower*

COGNATES

What English words and meanings do you recognize from the following?

acostumbrar	consagrar	establecer	el molde
anunciar	distinguir	el indio	rebelarse
ardiente	la época	interesarse	remediar
la compañía	el escrúpulo	la memoria	respetar
conducir	el espíritu	el misionero	sonoro, –a

OPPOSITES

diferente	igual	la fuerza	la debilidad
olvidar	recordar	familiar	extraño
lejano	cercano	la dificultad	la facilidad
la infancia	la vejez	el silencio	el ruido
el perdón	la venganza	nadie	alguien

SYNONYMS

poseer	tener	diferente	distinto
listo	preparado	cansarse	fatigarse
la época	el tiempo	lejano	distante
el cabello	el pelo	vivir	residir
decidirse	resolverse	huír	escaparse

IDIOMS

(a) hacerse *to become*
(b) hacer bien *to do good deeds*
(c) en todas partes *everywhere*
(d) ponerse de rodillas *to kneel*
(e) por todas partes = en todas partes *everywhere*
(f) en vez de *instead of*
(g) tener razón *to be right*

    (h) hacer viajes *to take trips*
    (i) convertirse en *to become, turn to*
    (j) tocar una campana *to ring a bell*
    (k) a veces = algunas veces *sometimes*
    (l) estar a punto de *to be about to*
    (m) dar la despedida *to bid farewell*
    (n) dar la bienvenida *to welcome*

EJERCICIO DE COMPRENSIÓN

State whether the following statements are true or false. Correct any mistake in details.

1. Cerca de Madrid había una aldea muy pobre.
2. Iban a fundir una campana aquel día.
3. Entre la gente había un niño llamado Miguel.
4. Miguel era el dueño de la fundición de campanas.
5. La moneda de plata no representaba nada para Miguel.
6. Nadie ofreció un pedazo de plata para la campana.
7. Miguel creía que la campana era su propiedad.
8. El Ángelus suena a las seis de la tarde.
9. Pasaron los años y Miguel se hizo médico.
10. Como misionero ayudó a muchos indios.
11. El misionero nunca sentía compasión por los indios.
12. Chala salió a anunciar la muerte del misionero.

ESTUDIO DE PALABRAS

I. Arrange the following words in pairs with like meanings:

1. poseer	2. residir
listo	resolverse
época	tener
cabello	distinto
decidirse	**fatigarse**

diferente	tiempo
cansarse	escaparse
lejano	preparado
vivir	pelo
huír	distante

II. Arrange the following words in pairs with opposite meanings:

1.	2.
diferente	venganza
olvidar	vejez
lejano	ruido
perdón	igual
infancia	alguien
fuerza	recordar
nadie	debilidad
familiar	facilidad
dificultad	extraño
silencio	cercano

III. Give the English equivalent of the following idiomatic expressions. Imitate them, using original sentences.

1. Miguel se puso de rodillas a rezar. 2. Por todas partes se conocía su nombre. 3. Tocaba su campana siempre cuando volvía. 4. Chala se sentía a veces muy cansado. 5. El misionero estaba a punto de salir. 6. El joven quería hacerse misionero. 7. Se convirtió en un misionero muy bueno. 8. El padre Miguel siempre hacía bien a todos. 9. Hizo un viaje a California. 10. En vez de huír salió a la puerta de la misión. 11. El misionero siempre tenía razón. 12. En todas partes lo conocían y respetaban.

CRIMINAL INOCENTE

Volvíamos a la capital un artista y yo hace muchos años.[a] Teníamos hambre a media noche y bajamos a comer algo en la estación de Albacete, hacia el sureste de España. Allí los viajeros compran
5 siempre navajas,[1] porque son la especialidad de la región. Por[2] la estación andaba aquella noche un hombre misterioso. Era éste un vendedor de navajas con todo el aspecto de un criminal. Llevaba un cinturón de cuero[3] lleno de navajas. Ofrecía su
10 mercancía con mucha insistencia. Parecía indicar que si alguien no le compraba una navaja, estaba dispuesto a clavársela[4] en cualquier parte del cuerpo.

Como es natural, cada uno de nosotros compró una. Nuestras navajas tenían unas hojas[5] brillantes
15 y de aguda punta que inspiraban miedo. Tranquilos por haber complacido al hombre misterioso, volvimos al tren. Por fortuna,[b] íbamos solos en el coche.

Arreglamos almohadas y mantas [6] y nos acostamos, esperando pasar la noche en paz.

Los coches de aquel tiempo eran muy cómodos. Tenían una sola luz, que dejaba el departamento casi en la oscuridad y apenas se podían ver las cosas en él.

Mi compañero de viaje [7] se durmió a los pocos minutos. El tren corría por un valle, bajo un cielo lleno de estrellas. Yo, muy cansado, me sentí dominado por el sueño.

Hacía un cuarto de hora que [8] habíamos salido de la estación. El tren marchaba a toda velocidad. Luché mucho con el sueño y estaba a punto de dormirme. De pronto, una corriente de aire [9] frío me hizo temblar de pies a cabeza y abrir los ojos.

Una puerta del coche se había abierto con violencia. Un hombre entró rápidamente hasta el interior.

La sangre se heló en mis venas. Mi corazón dejó de latir. Un sudor frío corrió por mi cuerpo. Me levanté, arrojé la manta al suelo, metí la mano en el bolsillo y apreté firmemente la navaja que había comprado.

A pesar del terror, vi claramente la situación. « Este hombre » pensé « es un ladrón de la peor clase. Debe de estar desesperado. Es probablemente uno de esos bandidos que asaltan los trenes para robar y matar a los viajeros. Ha visto una sola maleta. Se ha figurado que aquí viajaba un hombre solo y ha entrado para robar y matar. Ahora que ha visto que hay dos hombres, está pensando en lo que va a hacer. »

Me vinieron rápidamente todas esas ideas a la imaginación. Quise dar un grito [c] para despertar a mi compañero de viaje, pero no pude. Abrí la boca y no me salió ningún sonido. Estaba helado de miedo.

Por buena suerte [d] vi que mi compañero se levantaba. Sin duda la corriente de aire lo había despertado también. Miraba al forastero con los ojos medio abiertos, mientras buscaba en el bolsillo el recuerdo de Albacete.

Aquello me devolvió la calma y la voz. Vi en seguida que el crimen del ladrón iba a ser más difícil. El hombre nos dijo humildemente:

— Perdonen ustedes, caballeros; soy un pobre obrero sin trabajo.

Esa frase no me convenció; mucho menos en tal sitio y en semejantes circunstancias. Por eso, me decidí a contestarle:

— Y, ¿ por qué viene usted a decírnoslo de esa manera y a estas horas?

— Porque quiero pedir a ustedes un favor: déjenme esconder debajo de un asiento. Voy a Madrid a buscar trabajo y no tengo dinero con que pagar el billete.

— Pero, ¿ cómo va usted a esconderse en este coche? La forma de estos asientos no lo permite. En un coche de tercera clase puede usted hacerlo porque los bancos son diferentes, pero en primera no. Siéntese usted en aquel rincón. Al pararse el tren en una estación puede usted hacer el cambio.

El obrero obedeció sin decir palabra. Los tres nos quedamos en silencio y sin movernos, como tres estatuas. El supuesto criminal con el sombrero metido hasta los ojos; y las dos víctimas imaginarias con las miradas fijas en él, y con las manos en los 5 bolsillos acariciando nerviosamente las navajas.

Hasta entonces no me había dado cuenta de cuán largo es un viaje de una estación a otra. 10 ¡ Qué larga me pareció la distancia !

Por fin, el tren se paró y el hombre se levantó, abrió la portezuela [10] y 15 bajó. ¡ Jamás me ha salido del pecho un suspiro más profundo de alivio ! [11]

A la mañana siguiente, en una estación cerca de 20 Madrid, el tren no salía, a pesar de haber pasado ya los dos minutos acostumbrados de parada.[12] En el andén [13] se oían voces y se notaba un movimiento extraordinario.

— ¿ Qué pasa ? — pregunté. 25

— Que la guardia civil [14] ha arrestado a un viajero de tercera que iba sin billete.

— ¡ Caramba ! — exclamé. — ¡ Era verdad lo que decía el pobre hombre ! ¡ Era un obrero sin trabajo y no un ladrón !

30

Nunca me he sentido tan culpable [15] en mi vida. Había perdido una excelente oportunidad de hacer un gran bien a un pobre diablo. ¿Y a quién no pasa eso en la vida?

[1] *pocket knives*
[2] *Around*
[3] *leather belt*
[4] clavar *to stick in*
[5] *blades*
[6] *pillows and covers*

[7] *My traveling companion*
[8] *It was a quarter of an bour since*
[9] *draught*
[10] *coach door*

[11] *relief*
[12] *stop*
[13] *platform*
[14] *mounted police*
[15] *guilty*

CUESTIONARIO

1. ¿A dónde volvían los dos viajeros? 2. ¿Dónde bajaron a media noche? 3. ¿Por qué se compran allí navajas? 4. ¿Quién andaba por la estación? 5. ¿Qué compraron los dos amigos? 6. ¿Qué tal se veían las cosas en el coche? 7. ¿Quién entró en el coche? 8. ¿Qué pensó el viajero del hombre? 9. ¿Qué favor quería el hombre? 10. ¿Qué contestó el viajero? 11. ¿Qué hizo el hombre al pararse el tren? 12. ¿Qué pasó a la mañana siguiente? 13. ¿A quién habían arrestado? 14. ¿Cómo se sintió el viajero? 15. ¿Qué oportunidad había perdido?

VOCABULARY

acariciar *to caress*	la mirada *look*
apretar *to bold tight*	la mercancía *merchandise*
arrojar *to throw*	el obrero *worker*
dispuesto, –a *ready*	la punta *point*
esconder *to hide*	el recuerdo *souvenir*
la estrella *star*	el rincón *corner*
helarse *to freeze*	el sudor *perspiration*
latir *to beat*	el sueño *sleep*
luchar *to fight*	el suspiro *sigh*
la maleta *valise*	supuesto, –a *so-called*

COGNATES

What English words and meanings do you recognize from the following?

arrestar	claro, –a	decidirse	figurarse
asaltar	convencer	dominar	misterioso, –a
el bandido	corriente	la especialidad	el movimiento
brillante	el crimen	la estatua	nervioso, –a

OPPOSITES

complacer	molestar	frío	caliente
la fortuna	la desgracia	devolver	quitar
la oscuridad	la claridad	sentarse	pararse
la velocidad	la lentitud	el silencio	el ruido
rápido	lento	culpable	inocente

SYNONYMS

volver	regresar	pensar	meditar
dispuesto	listo	la idea	el pensamiento
la velocidad	la rapidez	la manera	el modo
arrojar	tirar	luchar	pelear
la paz	la calma	el aspecto	la apariencia

IDIOMS

(a) hace muchos años *many years ago*
(b) por fortuna *fortunately*
(c) dar un grito *to utter a cry*
(d) por buena suerte = por fortuna *luckily, fortunately*

EJERCICIO DE COMPRENSIÓN

Complete the following sentences:

1. Bajamos en la estación para ——.
2. Allí los viajeros compran siempre ——.

3. El vendedor tenía todo el aspecto de ——.
4. Cada uno de los viajeros compró una ——.
5. Un hombre entró en el interior del ——.
6. El obrero quería esconderse debajo ——.
7. El hombre abrió —— y bajó del tren.
8. En el andén se notaba un ——.
9. Nunca me he sentido tan ——.
10. El hombre sintió terror al ver ——.

ESTUDIO DE PALABRAS

I. Arrange the following words in pairs with like meanings:

1.		2.	
volver		tirar	
dispuesto		calma	
velocidad		apariencia	
arrojar		regresar	
paz		listo	
pensar		rapidez	
idea		pensamiento	
manera		pelear	
luchar		meditar	
aspecto		modo	

II. Arrange the following words in pairs with opposite meanings:

1.		2.	
complacer		lentitud	
fortuna		lento	
oscuridad		molestar	
velocidad		caliente	
rápido		quitar	
frío		desgracia	
devolver		inocente	
silencio		ruido	
culpable		claridad	

III. Match each Spanish idiomatic expression with its corresponding English meaning:

1. Fuí allá hace muchos años.
2. Por fortuna no lo vi.
3. Fué allá a pesar de él.
4. Debe de estar loco.
5. El hombre dió un grito.
6. No me doy cuenta de eso.
7. De pronto se levantó.
8. Estaba a punto de salir.
9. Por buena suerte regresó.
10. Por eso yo hablé.

a. Luckily he returned.
b. He went there in spite of him.
c. I do not realize that.
d. I went there many years ago.
e. For that reason I spoke.
f. He was about to leave.
g. Fortunately I did not see him.
h. The man uttered a cry.
i. He must be crazy.
j. Suddenly he got up.

¿QUIÉN NO PUEDE COMER A ESE PRECIO?

I

Pues, amigos, éstos eran tres estudiantes de la universidad de Salamanca. Como muchos de aquella época, durante el siglo catorce, andaban por el mundo sin ningún dinero. Pero esto les preocupaba muy poco, pues eran expertos en el arte de engañar y robar a la gente. Algunas veces comían bien, otras mal, y a menudo no tenían dónde pasar la noche. Pero los tres estudiantes seguían viviendo, aunque no muy bien. Al mismo tiempo veían el mundo sin gastar un centavo y vivían muy contentos.

Una mañana llegaron a una ciudad de Castilla. En la primera calle vieron a un vendedor de pavos. Inmediatamente dijo el primer estudiante:

— Hoy comemos pavo.

Y el segundo añadió:

— Yo busco el pan.

Y el tercero agregó:

— Y yo busco el vino.

A la hora,[a] los tres habían de encontrarse en la fonda que estaba a la entrada de la ciudad.

El primer estudiante se acercó al vendedor de pavos y preguntó:

— ¿ A qué precio vende usted los pavos ?

— Eso depende. ¿ Cuál quiere usted ? ¿ Éste muy gordo ?

— Sí, señor, ése.

— Éste usted no puede pagármelo. Es un pavo demasiado caro. Por su aspecto, me parece que no tiene usted bastante dinero para comprar un pavo como éste.

— ¿ Y cómo sabe usted para quién es el pavo ?

— En eso tiene usted razón. Dígame, ¿ para quién es ?

— Pues bien, el pavo es para mi tío el señor cura. Conque, ¿ cuánto pide usted ?

— Para no perder tiempo, y ya que usted quiere comprarlo de veras, me dará diez reales.

— Ocho reales.

— No puedo venderlo por menos de diez, señor.

— ¡ Vamos ! Por nueve reales lo compraré.

— No puedo venderlo por un centavo menos de diez reales.

— Pues bien, serán diez reales si usted insiste. Déme el pavo.

El vendedor entregó el pavo al estudiante. Éste, al recibirlo, dijo:

— Vamos hacia la iglesia y allí le pagará mi tío.

Los dos anduvieron por las calles de la ciudad, el estudiante llevando el pavo, mientras el vendedor lo seguía. Llegaron a la puerta de una iglesia y el estudiante dejó al hombre a la entrada. Se acercó luego a un confesionario[1] donde estaba confesando un cura. Se puso de rodillas delante de él y dijo:

— Perdone usted, padre. No vengo a confesarme, vengo con otro objeto. Hay un vendedor de pavos que no se ha confesado por más de diez años y ahora quiere hacerlo con usted. El pobre tiene mucho miedo. Usted debe tener paciencia con él para hacerle recordar todos sus pecados.

— Muy bien, hijo mío, — dijo el confesor. — Hágalo entrar y todo irá bien.[2]

— Muchas gracias, padre, lo verá usted en seguida.

El estudiante besó la mano del cura, se levantó, abrió sus manos mostrando los diez dedos, hizo una señal al vendedor y éste se acercó al confesionario.

Entretanto, el estudiante desapareció con el pavo por la puerta de la iglesia.

El confesor, al recordar lo que le había dicho el estudiante, llamó al vendedor y le dijo con tono paternal:

— Hijo mío, póngase de rodillas.

— Pero . . .

— ¡ Vamos, hijo mío ! Póngase de rodillas y diga el . . .

— ¡ Pero, padre ! Yo . . .

— No tenga miedo, el miedo debe ser para pecar . . .

— Pero, ¡ señor cura !

— Sí, hijo, ya lo sé, pero no importa.   Yo le haré recordar sus pecados; y si usted está verdaderamente arrepentido . . .

— Pero, padre, yo no vengo a confesarme; ¡ créame usted !

— Vamos, hijo, si Dios le ha tocado el corazón no se vuelva atrás.

— Pero, señor cura, yo soy un pobre vendedor de pavos.   Sólo vengo a cobrarle los diez reales por el pavo que me ha comprado para usted su sobrino.

— Pero, hijo, ¿ está usted loco ?

— No, señor cura, no estoy loco.   ¿ No recuerda usted ?   Su sobrino, ahora mismo, le dijo que me debía diez reales.   Vamos, padre, no pierda usted tiempo.   Hágame el favor de [b] dármelos pronto, porque mis pavos están solos en la puerta, y alguien puede robármelos.

— ¡ Ah, ya entiendo !   Ese pícaro [3] de estudiante nos engañó a los dos.   A mí me dijo que usted iba a confesarse, que no lo había hecho usted por los últimos diez años.   No es mi sobrino, ni siquiera lo conozco.   Trate usted de encontrarlo y cóbrele el precio del pavo.

El vendedor salió de la iglesia.   Buscó al estudiante por todas las calles, pero ni lo vió ni lo encontró. Éste se había marchado directamente a la fonda para hacer preparar el pavo.   Y como no tenía nada que hacer allí, fué en busca de sus dos compañeros, que todavía no habían llegado.

II

Al pasar por una panadería,[4] vió al segundo estudiante entre la gente que estaba comprando pan.
Entró y los dos se saludaron en secreto. El que
estaba ya dentro primero se acercó al mostrador y
5 pidió tres panes. El panadero [5] se los entregó. El
del pavo los cogió y corrió con ellos a la fonda.

Entretanto, el que había pedido los panes dió
media vuelta.[c] Estaba a punto de marcharse cuando
el panadero le dijo:

10 — ¡ Oiga, usted no me ha pagado los panes.

El estudiante miró al panadero fingiendo sorpresa
y preguntó:

— ¿ Qué dice usted? ¿ De qué panes me habla?

— Perdone, creía que usted era el estudiante que
15 acaba de comprarme tres panes y se ha marchado
con ellos sin pagármelos — contestó el panadero.

— ¡ Hombre, tenga cuidado! No me tome usted
por ladrón, ni por el otro estudiante que se ha ido
con los panes.

20 Y fingiéndose muy insultado, el estudiante se marchó diciendo:

— Ya que [d] usted me toma por ladrón, compraré
mi pan en otra tienda.

Sin perder tiempo, se fué a la fonda en donde en-
25 contró a sus dos compañeros.

El tercer estudiante ya había conseguido el vino.
Dijo que había entrado en una barbería [6] que estaba
junto a una taberna. Allí pidió prestada [e] una jarra [7]

para el tabernero,[8] prometiendo devolverla aquella misma noche. Con la jarra se fué después a la taberna y pidió al tabernero vino para el barbero, diciendo que éste le pagaría aquella misma noche. Y entonces se había ido también a la fonda, en busca de sus dos compañeros.

Los tres estudiantes comieron mucho y con gran apetito. Nunca habían comido tanto pavo en su vida.

Como los tres habían comido tan bien, la dueña de la posada los tomó por estudiantes ricos. Claro es que,[f] no dudó que le pagarían y le darían una buena propina.[9]

Cuando terminaron la comida, preguntaron a la dueña cuánto le debían. Ésta dijo que, con el trabajo de preparar el pavo y unas y otras cosas, el total era doce reales.

Los tres estudiantes se pusieron la mano en el bolsillo al mismo tiempo. El primero dijo:

— Hoy pago yo.

El segundo replicó más fuerte:

— No, hoy es mi turno, pago yo.

Y el tercero añadió casi gritando:

— No, amigos, hoy tengo que pagar yo. No ha de pagar ni uno ni otro. Soy yo el que paga.

La dueña que esperaba les dijo:

— Cualquiera de los tres puede pagar. La suma de doce reales no debería causar una discusión.

— No, señora, tiene usted razón — dijeron los tres juntos. — Somos muy buenos amigos y no debemos perder tiempo en discusiones.

De pronto, el estudiante del pavo dijo a sus compañeros:

— ¿ Saben ustedes ? Tengo una idea muy buena.

— ¿ Qué idea es ésa ?

5 — Mire usted, señora; vamos a resolver el problema muy fácilmente: le cubriremos los ojos con un pañuelo; después, tratará usted de coger a uno de nosotros; y el primero tocado por usted tendrá que pagar la cuenta.

10 — Muy bien — dijeron los otros dos.

La mujer aceptó el plan también. Le cubrieron los ojos con un pañuelo, se divirtieron unos minutos con ella y, luego, uno después del otro, desaparecieron los tres por la puerta. La dueña los buscaba con
15 los brazos extendidos. Mientras andaba de un lado al otro por la fonda, entró el marido, quien había salido por unos minutos. El pobre se quedó petrificado al ver la extraña actitud de su esposa. ¿ Qué le había pasado a la pobre mujer ? ¿ Se había vuelto
20 loca ? En el mismo momento, ella lo tocó y lo cogió por los brazos gritando alegremente:

— ¡ Es usted el que pagará ! ¡ Es usted el que pagará !

Y el marido, dándose cuenta de lo que había pa-
25 sado, exclamó tristemente:

— ¡ Tienes razón, mujer ! ¡ Tendré que pagar yo y nadie más !

---

[1] *confessional*	[4] *baker's shop, bakery*	[7] *pitcher*
[2] *everything will be all right*	[5] *baker*	[8] *tavern keeper*
[3] *scoundrel*	[6] *barber shop*	[9] *tip*

La dueña los buscaba . . .

CUESTIONARIO

I. 1. ¿Cuántos eran los estudiantes? 2. ¿En qué arte eran expertos? 3. ¿A dónde llegaron una mañana? 4. ¿A quién vieron? 5. ¿Qué dijo cada estudiante? 6. ¿Dónde habían de encontrarse? 7. ¿Qué preguntó el primer estudiante al vendedor? 8. ¿A dónde fueron los dos? 9. ¿Quién quedó a la entrada de la iglesia? 10. ¿Qué dijo el estudiante al cura? 11. ¿A quiénes había engañado el estudiante? 12. ¿Por dónde buscó el vendedor? 13. ¿A dónde se había marchado éste? 14. ¿En busca de quiénes fué el primer estudiante?

II. 1. ¿En dónde estaba el segundo estudiante? 2. ¿Quién cogió el pan? 3. ¿Quién se fingió muy insultado? 4. ¿Qué había hecho el tercer estudiante? 5. ¿Qué tal comieron los tres? 6. ¿Qué creyó la dueña de la fonda? 7. ¿Cuánto era la cuenta? 8. ¿Quién quería pagar? 9. ¿Qué dijo la mujer? 10. ¿Qué idea tuvo el primer estudiante? 11. ¿A quién cubrieron los ojos? 12. ¿Por dónde desaparecieron los tres? 13. ¿En dónde los buscaba la dueña de la fonda? 14. ¿Quién llegó entonces? 15. ¿Qué gritó la mujer? 16. ¿De qué se dió cuenta el marido?

VOCABULARY

agregar *to add*
la busca *search*
cobrar *to collect*
conseguir *to get*
el cura *priest*
el dedo *finger*
la dueña *owner*
engañar *to deceive*
la entrada *entrance*
fingirse *to feign, pretend*
gastar *to spend*

el miedo *fear*
el objeto *purpose*
el pañuelo *handkerchief*
el pavo *turkey*
pecar *to sin*
saludar *to greet*
la señal *sign, signal*
el sobrino *nephew*
la sorpresa *surprise*
tocar *to touch*
la vuelta *turn*

COGNATES

What English words and meanings do you recognize from the following?

arrepentirse	desaparecer	experto, –a	perdonar
el aspecto	la discusión	extender	preparar
el barbero	la época	insistir	el secreto
confesar	el estudiante	insultar	la taberna
depender	exclamar	la paciencia	la universidad

OPPOSITES

llegar	salir	terminar	empezar
la entrada	la salida	el vendedor	el comprador
gordo	flaco	mostrar	esconder
comprar	vender	cobrar	pagar
insistir	desistir	cubrir	descubrir

SYNONYMS

la época	el tiempo	entretanto	mientras tanto
andar	caminar	cubrir	tapar
contento	satisfecho	el objeto	el motivo
perdonar	excusar	insultar	ofender
entregar	dar	junto a	cerca de

IDIOMS

(a) a la hora *after one hour*
(b) hágame el favor (de) = tenga la bondad (de) *please*
(c) dar media vuelta *to turn around*
(d) ya que *as long as, since*
(e) pedir prestado *to borrow*
(f) claro es (que) = claro está = por supuesto = naturalmente
   of course, naturally

EJERCICIO DE COMPRENSIÓN

In the following sentences fill the blanks with the proper word or words taken from the list:

1. Tres estudiantes viajaban por ——.
2. No les preocupaba no tener ningún ——.
3. Eran expertos en engañar y —— a la gente.
4. No gastaban —— y vivían muy contentos.
5. Dijo que el pavo era para su tío ——.
6. El cura creía que el vendedor quería ——.
7. El estudiante había —— a los dos.
8. El segundo pidió —— y los dió al otro.
9. Prometió que —— pagaría el vino.
10. Los tres estudiantes hicieron preparar ——.
11. Desaparecieron —— por la puerta.
12. La cuenta de la fonda era de ——.

a. el pavo
b. un centavo
c. tres panes
d. el mundo
e. engañado
f. los tres
g. dinero
h. robar
i. confesarse
j. doce reales
k. el cura
l. el barbero
m. llegaron
n. esa noche

ESTUDIO DE PALABRAS

I. Arrange the following words in pairs with like meanings:

1. época
   andar
   contento
   perdonar
   entregar
   entretanto
   cubrir
   objeto
   insultar
   junto a

2. excusar
   cerca de
   tiempo
   mientras tanto
   tapar
   caminar
   dar
   satisfecho
   ofender
   motivo

II. Arrange the following words in pairs with opposite meanings:

1. llegar	2. vender
entrada	descubrir
gordo	salir
comprar	empezar
insistir	salida
terminar	flaco
vendedor	desistir
mostrar	esconder
cobrar	comprador
cubrir	pagar

III. Use the idiomatic expressions between parentheses to translate the following sentences:

1. They continued living (*seguir* + *pres. part.*). 2. He is always right (*tener razón*). 3. They arrived after one hour (*a la hora*). 4. He will turn around (*dar media vuelta*). 5. They were about to buy it (*estar a punto de*). 6. Right now I am buying bread (*ahora mismo*). 7. As long as he goes I shall go (*ya que*). 8. Please prepare the turkey (*hágame el favor*). 9. I shall borrow ten reales (*pedir prestado*). 10. Of course he will pay for it (*claro es que*).

GRATITUD DE LOBO

I

Ricardo vivía en una casa blanca y alegre cerca de un bosque. Una tarde su madre lo vió entrar en la casa. Traía en los brazos, con mucho cuidado, algo envuelto en su chaqueta.

5 — ¿ Qué traes ahí, hijo mío ? — preguntó la buena mujer.

El niño, sin responder, puso el bulto[1] sobre la mesa y lo abrió con precaución.

— ¡ Cielos ! ¡ Un lobo ! — gritó la madre con 10 terror.

De la chaqueta había salido un lobo pequeño, de unos quince días, con ojos negros, muy brillantes. Ricardo explicó a su madre:

— Yo había ido al bosque a buscar nueces y me 15 perdí. De pronto, oí gritos de dolor, como los de un animal herido. Busqué y en seguida hallé a este pobre lobo con una pata rota. Sin duda se había

escapado de su cueva. Como es tan pequeño se hirió
en una piedra. Luego que me vió cesó de quejarse [a]
y me miraba como pidiendo ayuda. Entonces, le
cubrí la pata con mi pañuelo. Lo traje aquí porque
allí se habría muerto de hambre. Además, ¡es tan
bonito!

La madre miraba a su hijo con los ojos llenos de
asombro.

— ¿Pero estás loco, Ricardo? ¡Traer un animal
salvaje a casa!

— ¿Un animal salvaje? ¡Vamos, madre! ¿Qué
mal puede hacernos este pobre lobo? Los lobos son
malos sin saber que lo son. Ellos se comen vivas
las ovejas, es verdad, pero también nosotros nos las
comemos cocidas. Si ellos atacan alguna vez al hombre, es porque saben que éste es su enemigo; otras
veces porque tienen hambre. Como no piensan, no
pueden notar la diferencia que hay entre nuestra
carne y la de la oveja. Enseñando a este lobo, desde
ahora,[b] a vivir entre la gente acabará por domesticarse. No mostrará nunca sus instintos salvajes.

Doña Carmen, en parte convencida por las razones del niño y en parte por complacerlo, permitió la
entrada del animal en su casa.

Ricardo llamó a su lobo Marfil,[2] porque tenía unos
dientes muy blancos. Y Marfil fué el amigo más
cariñoso de Ricardo. Los dos jugaban, corrían y
hasta conversaban juntos. Sí, conversaban. A veces
Ricardo se sentaba a la sombra de un árbol y, po-
niendo sobre sus rodillas al lobo, le hablaba como

a una persona. Aunque el pobre animal no podía
responderle con la lengua, sus ojos brillaban indi-
cando que entendía perfectamente lo que oía.

— ¿ Ves, madre? — decía Ricardo. — Mi lobo es
más inteligente que el hombre. Un niño de un mes
no comprende como comprende Marfil.

Marfil creció rápidamente, haciéndose un lobo
precioso, y no tenía aspecto de animal salvaje. Sus
ojos eran tan dulces como los de un perro.

Sin embargo, en el pueblo no estaban tranquilos
pues no creían en la bondad de Marfil. El día menos
pensado[3] podía ponerse furioso. Y obligaron a Ricardo a sacarlo de la casa atado y con un bozal.[4]
El niño pasó un instante de dolor al poner el bozal a
su querido Marfil. Éste lo miraba sorprendido como
diciendo:

— ¿ Qué he hecho yo, Ricardo, para ser tratado
así ?

Ricardo, que había llegado a comprender perfectamente el lenguaje de los ojos de su lobo, le respondió:

— Marfil, tú eres muy bueno, no me has hecho
nada. Pero la gente no tiene la costumbre de ver
lobos buenos y te tiene miedo. Mañana te llevaré
un rato al bosque y allí tendrás otra vez tu libertad.

Marfil comprendió las razones de su amo y protector y entendió que su lugar no estaba en la casa
blanca. Estaba en el bosque, donde vivían los lobos.
Así se lo dijo a Ricardo al día siguiente en el bosque.

— Ricardo, es evidente que los hombres y los
lobos no pueden vivir juntos. En el pueblo me

odian. Además, te digo la verdad, yo te quiero ^c
mucho, pero me atrae el bosque. Yo necesito correr,
saltar, usar mis patas demasiado fuertes. Déjame
aquí, Ricardo.

— No esperé eso nunca de ti — dijo Ricardo llo- 5
rando. — Eres ingrato como todos los humanos.

— No lo creas, — continuó el lobo — yo no soy
ingrato. Por el contrario,^d te hago un favor sepa-
rándome de ti. Déjame aquí.

Ricardo se convenció. Marfil decía la verdad. Su 10
sitio estaba en el bosque. Y después de abrazarlo
por última vez, se volvió solo al pueblo. Iba con la
cabeza baja y los ojos llenos de lágrimas. Desde
una altura, Marfil lo siguió con la vista, hasta que
su silueta acabó por desaparecer.^e 15

Desde que Marfil volvió al bosque disminuyeron
en los alrededores los daños causados por los lobos.
Fué cada vez más rara la pérdida de una oveja.
Sólo ocurría en el invierno, cuando los lobos se mue-
ren de hambre. 20

II

Habían pasado cinco años. Ricardo era ya un
joven de diecisiete años, alto, fuerte y valiente. Su
madre cayó enferma gravemente. Una tarde le dijo
el médico:

— Ricardo, su madre está muy enferma. No 25
tengo esperanzas si no empleo cierta medicina. Pero
no la hay aquí, ni los medios necesarios para pre-
pararla. Puede hallarse en el pueblo vecino. **Pero**

alguien tiene que ir a buscarla y volver antes de las doce de la noche. Solamente así puede salvarse su madre.

— Iré yo mismo, — respondió Ricardo resuelto — si usted me promete no separarse del lado de mi madre. A las doce en punto [f] estaré aquí.

El médico prometió lo que le pedía Ricardo; y éste salió del pueblo rápidamente en su caballo.

Cuando le dieron la medicina eran ya las diez de la noche.

« No voy a llegar a casa hasta las dos », pensó Ricardo. « Sólo podré llegar a tiempo si voy por el bosque. »

Y dicho y hecho. No pensó en los mil peligros del bosque en una cruda noche de invierno. Recordó solamente que llevaba la salvación a su madre.

Ya iba a llegar a su casa cuando, de pronto, el caballo se detuvo. Movió nerviosamente la cabeza y dió grandes saltos.[g]

Ricardo, a punto de caerse, se agarró al [5] cuello del animal y miró a su alrededor. En la sombra brillaban unos puntos luminosos que se acercaban poco a poco.[h]

— ¡ Lobos ! — exclamó Ricardo con terror.

Con esa rapidez que inspira el peligro, pensó que el único medio de salvarse era abandonar el caballo y huír. Mientras los lobos devoraban el animal él podía salir del bosque. Así lo hizo. Era una lástima perder aquel animal, tan hermoso y tan bueno, pero era también la única manera de salvar su propia vida.

Sin embargo, calculó mal. Los lobos eran muchos y tenían hambre. Sin duda el pobre caballo no era bastante para ellos.

« Ahora estoy perdido », pensó Ricardo.

Y en aquel momento, aun delante del peligro, sólo pensaba en que su madre iba a morir. No tomaría la preciosa medicina, que él apretaba contra su corazón. Ya oía la respiración de los lobos, cuando vino a su mente un recuerdo y a sus labios un nombre.

— ¡ Marfil ! — gritó.

Entonces ocurrió algo extraordinario. Hubo un movimiento entre los lobos. Uno de los últimos, saltando sobre sus compañeros, corrió hacia Ricardo.

Con los ojos encendidos, no de maldad sino de alegría, le lamió [6] las manos como para saludarlo. Se puso delante de él, frente a sus compañeros, y aulló [7] en varios tonos. Los lobos se habían quedado tranquilos al oír el « discurso » de su jefe. Luego volvieron atrás en silencio, con mucho asombro de parte de Ricardo.

Después Marfil, pues éste era el lobo héroe, se volvió hacia su antiguo protector y principió a andar, indicándole que debía seguirlo. Ricardo obedeció admirado; y conducido por tan extraño guía [8] llegó a la salida del bosque.

Allí se separaron como lo habían hecho cinco años antes. Ricardo abrazó al buen Marfil, que le decía con sus ojos negros y brillantes:

— ¡ Ya ves que no soy ingrato !

La madre de Ricardo se salvó, gracias a la gratitud de un lobo.

[1] *bundle*	[4] *muzzle*	[6] lamer *to lick*
[2] *ivory*	[5] agarrarse a *to bold*	[7] aullar *to bowl*
[3] *One day when least expected*	on	[8] *guide*

CUESTIONARIO

1. 1. ¿ Dónde vivía Ricardo ? 2. ¿ Qué vió su madre una tarde ? 3. ¿ Qué traía en su chaqueta ? 4. ¿ Qué había oído en el bosque ? 5. ¿ Por qué trajo el lobo a su casa ? 6. ¿ Qué permitió la madre ? 7. ¿ Cómo llamó Ricardo al lobo ? 8. ¿ Por qué no estaban tranquilos en el pueblo ? 9. ¿ Cómo debía llevar Ricardo a Marfil cuando salía ? 10. ¿ Qué decidió hacer un día ? 11. ¿ Cómo volvió Ricardo al pueblo ? 12. ¿ Qué disminuyó entonces ?

II. 1. ¿Cuánto tiempo había pasado? 2. ¿Quién estaba enferma? 3. ¿Qué necesitaba el médico? 4. ¿Dónde podía hallarse la medicina? 5. ¿Qué hizo Ricardo? 6. ¿A qué hora le dieron la medicina? 7. ¿Qué vió en la sombra? 8. ¿A quién llamó? 9. ¿Qué hizo uno de los lobos? 10. ¿Quién era el lobo héroe? 11. ¿Qué le decía el lobo con los ojos? 12. ¿Por qué se salvó la madre?

VOCABULARY

abrazar *to hug*	el lobo *wolf*
la altura *height*	la maldad *wickedness*
atar *to tie*	la mente *mind*
la bondad *goodness*	la nuez (*pl.* –ces) *walnut*
cocer *to cook*	la oveja *sheep*
crecer *to grow*	la rapidez *speed*
la cueva *cave*	saltar *to jump*
la lengua *tongue*	la sombra *darkness*

COGNATES

What English words and meanings do you recognize from the following?

calcular	devorar	el lenguaje	ocurrir
convencer	enemigo, –a	luminoso, –a	separarse
la chaqueta	ingrato, –a	el movimiento	la silueta

OPPOSITES

alegre	triste	rápido	lento
el dolor	la alegría	dulce	agrio
cesar	continuar	la bondad	la maldad
vivo	muerto	querido	odiado
crudo	cocido	la verdad	la mentira

SYNONYMS

cerca de	junto a	evidente	claro
mostrar	enseñar	el lugar	el sitio
conversar	charlar	volver	regresar
poner	colocar	nunca	jamás
comprender	entender	llamar	nombrar

IDIOMS

(a) cesar de + inf. *to stop + pres. part.*
(b) desde ahora *from now on*
(c) querer a *to love, be fond of, like*
(d) por el contrario = al contrario *on the contrary*
(e) acabar por + inf. *to end by + pres. part.*
(f) en punto *exactly, sharp* (of time)
(g) dar saltos *to jump*
(h) poco a poco *little by little, gradually*

EJERCICIO DE COMPRENSIÓN

In the following sentences tell whether the statements are true or false:

. Había encontrado al lobo en el bosque.
2. El animal tenía una pata rota.
3. La madre no permitió la entrada del lobo.
4. Marfil no era buen amigo de Ricardo.
5. Los ojos del lobo indicaban que entendía.
6. Todos creían en la bondad de Marfil.
7. El lobo quería quedarse en el bosque.
8. La madre de Ricardo estaba muy enferma.
9. Ricardo mandó al médico a buscarla.
10. Marfil no era ingrato, pues salvó a Ricardo.
11. El lobo héroe de este cuento era Marfil.

ESTUDIO DE PALABRAS

I. Arrange the following words in pairs with like meanings:

1.	2.
cerca de	charlar
mostrar	entender
conversar	regresar
poner	junto a
comprender	colocar
evidente	jamás
lugar	nombrar
volver	claro
nunca	sitio
llamar	enseñar

II. Arrange the following words in pairs with opposite meanings:

1.	2.
alegre	cocido
dolor	lento
cesar	agrio
vivo	triste
crudo	muerto
rápido	alegría
dulce	continuar
bondad	odiado
querido	mentira
verdad	maldad

III. Give the English equivalent for the following idiomatic expressions:

1. Entró en la casa. 2. Lo traeré a casa. 3. Lo vió en seguida. 4. Desde ahora vivirá aquí. 5. Cesó de hablar. 6. Se hizo amigo de Ricardo. 7. Tienen miedo al lobo. 8. Lo

vió al día siguiente. 9. Por el contrario, no fué allá. 10. Acabó por dormir. 11. Salió a las tres en punto. 12. Dicho y hecho salió. 13. De pronto vió al lobo. 14. Estaba a punto de caerse. 15. Siempre pensaba en su madre. 16. ¿Quién iba a morir? 17. Quería mucho al lobo. 18. Aprendió poco a poco. 19. Dió varios saltos. 20. A veces no comía.

JUSTICIA DIVINA

Vivía hace muchos años en la noble ciudad de Barcelona un banquero llamado Esteban Rodríguez. De la mañana a la noche pasaba el tiempo sentado ante su mesa, haciendo cálculos. El banquero era muy conocido, pues prestaba dinero a todo el mundo. Al mismo diablo le habría prestado dinero si podía ganar algo en la transacción. Don Esteban había adquirido así grandes riquezas.

El banquero había gastado gran parte de su dinero en la ciudad. Había hecho regalos a las iglesias, había construído un hospital y un magnífico teatro. Don Esteban era, pues, uno de los mejores ciudadanos de Barcelona. El banquero tenía mucho prestigio y era estimado por todos. Vivía en un gran palacio, pero sin embargo, muy pocas personas lo visitaban, pues prefería estar siempre solo.

Una noche de invierno volvía a su palacio. A pocos pasos de su puerta se vió rodeado de varios mendigos,[1] que le tendían todos la mano diciendo con triste voz:

— ¡ Ayúdenos, señor, por el amor de Dios !

Les contestó el banquero con duras palabras. Pero como ellos tenían tanta hambre, se acercaron a él como lobos. Don Esteban ya iba a pedir ayuda, cuando vió venir a uno de sus criados. Traía éste sobre la cabeza una cesta[2] de panes negros, destinados a los criados de la casa. Lo llamó el banquero, y tomando los panes los tiró a los pobres mendigos.

Aquella noche, después de una excelente y abundante comida, se acostó el banquero y poco después se durmió. Durante el sueño tuvo un fuerte ataque de indigestión y murió. En el mismo momento vió entrar en su cuarto a San Miguel con su balanza.[3] A un lado vió don Esteban las cosas que había quitado a los pobres en cambio del dinero que les había prestado. También vió su fortuna y sus monedas de oro. Sólo él tenía una colección tan perfecta como aquélla. Había adquirido todo aquello con fraudes y usura. El banquero comprendió que lo que había en la balanza representaba su vida. San Miguel la pesaba en esos momentos delante de él. Se quedó muy atento y se sintió preocupado.

— San Miguel, — dijo don Esteban — si pone en un lado lo que poseo, ponga también en el otro los magníficos regalos que hice. No olvide el domo de la catedral, el hospital y los otros edificios que he construído en mi noble ciudad.

El santo puso los regalos del banquero en el otro

lado. Pero éste no bajó absolutamente nada. Don Esteban sintió entonces bastante inquietud.

— San Miguel, — dijo de nuevo — busque usted bien. No ha puesto el púlpito de San Andrés. Es una obra de arte[4] que me ha costado muchísimo[5] dinero.

El santo añadió el púlpito, pero tampoco bajó la balanza de aquel lado. El pobre banquero empezó a sentir su frente bañada de un sudor frío.

— San Miguel, — preguntó — ¿ está usted seguro de que su balanza es exacta?

El santo respondió, con cierta sonrisa de compasión, diciendo que su balanza no había sido nunca más exacta.

— ¿ Cómo es posible? — preguntó el banquero temblando de miedo. — ¿ El domo de la catedral, el púlpito y tantas otras obras de caridad, no hacen bajar ese lado de la balanza?

— Ya le he dicho que mi balanza no puede ser más exacta — replicó el santo. — El peso de sus pecados es mayor que la carga insignificante de sus buenas obras.

— ¿ Iré entonces al infierno? — preguntó don Esteban temblando con más miedo que antes.

— ¡ Paciencia, hijo mío, paciencia! — respondió San Miguel. — No hemos terminado todavía, hay que examinar[a] esto.

Y el santo tomó los panes negros que el rico había dado aquella noche a los pobres. Los puso en el lado de las buenas obras y éste bajó de pronto, mientras

el otro lado subía; y los dos quedaron al mismo
nivel.

¡El banquero no podía creer lo que veía. ¿Cómo
podía un incidente tan pequeño tener tanta importancia en el cielo?

Y el glorioso santo le habló así:

— Como ve usted, Esteban Rodríguez, usted no
sirve ni para ᵇ el cielo ni para el infierno. Conque,
empiece otra vida y multiplique esos panes negros
que ha dado con su mano, y que han sido su primera
obra de verdadera caridad. Hágalo muchas veces
sin decirlo a nadie y así se salvará. Sepa usted
que el cielo se abre para el hombre arrepentido, y
que hasta un ladrón reformado puede salvarse. No
olvide usted que la misericordia de Dios es infinita.
Así pues, dé más panes a los pobres. La justicia
divina ordena caridad para ellos, ¡ y hay tantos en el
mundo ! En este valle de lágrimas son ellos los que
de veras necesitan ayuda de los ricos como usted.

Don Esteban se despertó en su cama. Había
tenido un sueño que le había enseñado una buena
lección. Desde aquel momento, decidió seguir el
consejo del santo; y multiplicó el pan de los pobres,
para poder entrar en el reino de los cielos.

El banquero pasó otros cinco años en la tierra
después de su sueño. Durante ese tiempo hizo mucho bien a los pobres. Y así, como multiplicó sus
obras de verdadera caridad, multiplicó su felicidad.

---

¹ *beggars*	³ *scales*	⁵ *a great deal of*
² *basket*	⁴ *masterpiece*	

Dé más panes a los pobres.

CUESTIONARIO

1. ¿ Quién vivía en Barcelona? 2. ¿ Cómo pasaba el tiempo el banquero? 3. ¿ Qué prestaba a todo el mundo? 4. ¿ En qué había gastado mucho dinero? 5. ¿ De quiénes se vió rodeado una noche? 6. ¿ A quién vió llegar? 7. ¿ Qué hizo con los panes? 8. ¿ Qué le pasó al dormirse? 9. ¿ Quién entró en su cuarto? 10. ¿ Qué vió en la balanza? 11. ¿ Qué puso el santo en el otro lado? 12. ¿ Qué tal era la balanza? 13. ¿ Por qué temblaba don Esteban? 14. Por fin, ¿ cuándo bajó la balanza? 15. ¿ Cuál había sido su verdadera obra de caridad? 16. ¿ Dónde se despertó don Esteban? 17. ¿ Qué hizo desde entonces? 18. ¿ Cuántos años más pasó en la tierra?

VOCABULARY

acostarse *to go to bed*	el nivel *level*
la carga *load*	la obra *deed*
la caridad *charity*	el peso *weight*
el ciudadano *citizen*	el regalo *present*
duro, –a *harsh*	la riqueza *wealth*
la felicidad *happiness*	el sueño *dream*
el infierno *hell*	tender *to extend*
la misericordia *mercy*	tirar *to throw*

COGNATES

What English words and meanings do you recognize from the following?

adquirir	decidir	glorioso, –a	el prestigio
el ataque	destinar	la importancia	el púlpito
atento, –a	divino, –a	el incidente	el santo
el banquero	el domo	la inquietud	la usura
la compasión	la fortuna	la justicia	el valle
construír	el fraude	multiplicar	visitar

OPPOSITES

ante	tras	poner	quitar
adquirir	perder	la inquietud	la calma
estimar	despreciar	el cielo	el infierno
abundante	escaso	acostarse	levantarse
la riqueza	la pobreza	dormirse	despertarse

SYNONYMS

vivir	residir	poner	colocar
tomar	coger	seguro	cierto
la ayuda	el socorro	la paciencia	la calma
tirar	arrojar	la felicidad	la dicha
adquirir	obtener	el mundo	la tierra

IDIOMS

(a) hay que + inf. *it is necessary, one must*
(b) servir para *to be good for*

EJERCICIO DE COMPRENSIÓN

In the following sentences, fill each blank with the proper word or words:

1. Vivía en la ciudad de Barcelona un ——.
2. El banquero había gastado gran parte de ——.
3. Volvía a su palacio una ——.
4. Los mendigos lo rodearon y le pidieron ——.
5. Tomó los panes y los tiró a ——.
6. Esa noche tuvo un fuerte ataque de ——.
7. Vió entrar en su cuarto a ——.
8. Lo que había en la balanza representaba ——.
9. No bajó el otro lado con —— del banquero.
10. Puso los panes y quedaron los lados al ——,
11. Su sueño le había enseñado una ——.
12. Multiplicó sus obras de —— y su ——.

ESTUDIO DE PALABRAS

I. Arrange the following words in pairs with like meanings:

1.	vivir	2.	obtener
	tomar		colocar
	ayuda		residir
	tirar		cierto
	adquirir		socorro
	poner		coger
	seguro		arrojar
	felicidad		dicha
	mundo		tierra

II. Arrange the following words in pairs with opposite meanings:

1.	adquirir	2.	pobreza
	estimar		despertarse
	abundante		calma
	riqueza		infierno
	poner		escaso
	inquietud		despreciar
	cielo		perder
	acostarse		quitar
	dormirse		levantarse

III. Use the following idiomatic expressions in original sentences and find the English equivalent of each:

1. Hace muchos años
2. Acercarse a
3. Tener hambre
4. Todos juntos
5. Hacer cálculos
6. Hay que + inf.
7. Hacer mucho bien
8. Servir para
9. De veras
10. Otra vez
11. Ir a + inf.
12. Poco después

EL PARAGUAS REBELDE

Llovía a cántaros aquella mañana. Durante tres cuartos de hora don Manuel había esperado el tranvía. Apenas se detuvo éste, don Manuel pensó: « Cierro el paraguas y subo. »

Pero una cosa es decir: « cierro el paraguas » y otra cosa es hacerlo.

Don Manuel era un hombre a quien todos obedecían, pero su paraguas no quiso obedecerle. Trató de cerrarlo. ¡ Imposible ! Y aunque era un hombre pacífico perdió la paciencia.

Siguió tratando y tratando de cerrar el paraguas, mas éste resistió valientemente los golpes y demás actos de violencia de don Manuel. Los resistió como una mula ciega.

Y el tranvía partió sin su viajero.

Don Manuel no abandonó la empresa. La lucha se hizo terrible, insoportable. El hombre empleaba la fuerza y la lógica, el músculo y el nervio, pero todo fué en vano. El paraguas había vencido y lo tiró a la calle. En seguida, apareció un policía:

— ¡ Caballero ! Usted sabe muy bien que está prohibido tirar objetos a la vía pública. ¡ Recoja usted su paraguas !

Obedeció el pobre don Manuel y decidió tomar un taxi; pero el odioso paraguas no entraba por la portezuela.

Lleno de ira caminó sin saber a dónde iba. Tres veces abandonó el paraguas y tres veces se lo devolvieron. Y lo peor es que tuvo que dar las gracias a las gentes, aunque más bien [1] tenía ganas de [a] insultarlas y hasta de matarlas. Ya desesperado arrojó el paraguas a la entrada de una casa. Cuando se había alejado algunos pasos, una mujer corrió tras él gritando:

— ¡ Eh, caballero ! Tome su paraguas que mi casa no es depósito de basura. [2]

Pasaban las horas y don Manuel no podía cerrar el paraguas. ¿ Ir a su casa ? ¿ Para qué ? El paraguas fatal no cabría por la escalera.

Entró en la Casa de Correos [3] y un empleado le gritó:

— ¡ Caballero, cierre el paraguas !

— ¿ Cree usted que no quiero cerrarlo ? ¡ Yo quiero, pero no quiere este diablo de [4] paraguas ! — gritó furioso don Manuel, saliendo otra vez a la calle.

Quiso dejarlo en una iglesia, pero una devota señora exclamó:

— ¡ Por Dios, hombre ! ¿ No sabe usted que es

una falta de respeto entrar en la casa de Dios con un paraguas abierto?

A las nueve de la noche, aún corría don Manuel por Madrid, con el paraguas abierto aunque ya no [5] llovía. Parecía [5] loco, un loco furioso, víctima del terrible paraguas.

Y al fin tomó una resolución he- [10] roica. Estaba convencido de no poder perder en ninguna parte [b] el instrumento de su [15] constante tortura, ni tampoco cerrarlo. Corrió a un puente en busca de la muerte. De un salto, se lanzó al espacio. Entonces, ocurrió un milagro que no es- [20] peraba. El resistente paraguas cogió bien el aire y, sirviendo de [c] paracaídas, [6] llevó a don Manuel, poco a poco, describiendo elegantes curvas hasta el suelo. No cayó en el agua sino en la orilla del río. Don Manuel, pues, se vió de nuevo en pie teniendo en la [25] mano, más abierto que nunca, su paraguas.

Esta última aventura le hizo perder el poco juicio que le quedaba. ¡ Porque de la caída don Manuel se volvió loco ! Hace dos años [7] el infeliz hombre está en un manicomio. [8] Se pasea por los patios de la [30]

mañana a la noche, empeñado siempre en cerrar un
paraguas invisible.

¹ rather
² garbarge can
³ post office
⁴ blessed
⁵ no longer
⁶ parachute
⁷ For the past two years
⁸ insane asylum

CUESTIONARIO

1. ¿Qué esperaba don Manuel? 2. ¿Qué pensó hacer?
3. ¿Qué no quiso hacer el paraguas? 4. ¿Qué resistía?
5. ¿Qué continuó haciendo don Manuel? 6. ¿A dónde tiró
el paraguas? 7. ¿Cuántas veces lo abandonó? 8. ¿Dónde lo
arrojó después? 9. ¿Qué le gritó el empleado de la Casa de
Correos? 10. ¿Quién le habló del paraguas en la iglesia?
11. ¿Hasta qué hora corría aún don Manuel? 12. ¿Qué parecía ya? 13. ¿Qué hizo al fin? 14. ¿Qué ocurrió entonces?
15. ¿De qué le sirvió el paraguas? 16. ¿Qué hacía todavía
cuando lo encontraron? 17. ¿Desde cuándo está en el manicomio? 18. ¿En qué está empeñado siempre?

VOCABULARY

caber *to fit*
devolver *to return*
empeñado, -a *determined to*
la empresa *enterprise*
la fuerza *strength*
infeliz *unhappy, unfortunate*
el juicio *sense, reason*
lanzarse *to fling oneself*
loco, -a *mad, crazy*

la lucha *struggle*
odioso, -a *hateful*
la orilla *shore*
el puente *bridge*
recoger *to pick up*
rendirse *to surrender*
el río *river*
tirar *to throw away*
vencer *to win*

COGNATES

What English words and meanings do you recognize
from the following?

la aventura	la furia	el nervio
convencerse	heroico, –a	el objeto
la curva	la ira	pacífico, –a
describir	la lógica	resistir
devoto, –a	la mula	el respeto
el espacio	el músculo	la víctima

OPPOSITES

público	privado	entrar	salir
saber	ignorar	cerrar	abrir
infeliz	feliz	peor	mejor
obedecer	desobedecer	entrada	salida
rendirse	triunfar	prohibir	permitir

SYNONYMS

partir	salir	el objeto	la cosa
furioso	violento	coger	tomar
tirarse	arrojarse	emplear	usar
decidir	resolver	la resolución	la decisión
devoto	piadoso	esperar	aguardar

IDIOMS

(a) tener ganas de *to wish, want, be desirous of*
(b) en ninguna parte *nowhere*
(c) servir de *to serve as*

EJERCICIO DE COMPRENSIÓN

Arrange the following sentences in their natural order
so as to form a summary of the story:

1. Lo tiró tres veces y se lo devolvieron.
2. El pobre don Manuel se volvió loco.
3. Tiró el paraguas a la calle.

4. Don Manuel esperaba el tranvía.
5. Aunque era pacífico perdió la paciencia.
6. Pensó cerrar el paraguas y subir.
7. No cayó al agua sino de pie en la orilla.
8. Hubo una terrible lucha, pero no cerró el paraguas.
9. El paraguas no quiso obedecerle y cerrarse.
10. De un salto se tiró don Manuel del puente.

ESTUDIO DE PALABRAS

I. Arrange the following words in pairs with like meanings:

1. partir	2. resolver
furioso	piadoso
tirarse	cosa
decidir	salir
devoto	arrojarse
objeto	aguardar
coger	violento
emplear	decisión
resolución	tomar
esperar	usar

II. Arrange the following words in pairs with opposite meanings:

1. público	2. desobedecer
saber	triunfar
infeliz	privado
obedecer	feliz
rendirse	mejor
entrar	abrir
cerrar	permitir
peor	salir
entrada	salida
prohibir	ignorar

III. Place beside each idiomatic expression its English equivalent:

1. Traté de subir.
2. Seguimos trabajando.
3. Llegó en seguida.
4. Tenía ganas de correr.
5. Ya no lo dirá.
6. Al fin lo perdió.
7. Esto servirá de mesa.
8. En ninguna parte lo vimos.
9. Poco a poco llegó allá.
10. Hay que comprarlo.
11. Más bien voy yo.
12. Le queda poco dinero.

a. We saw him nowhere.
b. He wished to run.
c. I'd rather go myself.
d. This will serve as a table.
e. I tried to go up.
f. He will not say it any more.
g. He arrived immediately.
h. One must buy it.
i. We continued working.
j. He has little money left.
k. At last he lost it.
l. He gradually arrived there.

PRELIMINARY NOTE

1. From this Vocabulary there have been omitted, as a rule:

(a) Words that are identical in form and meaning in both Spanish and English, unless occurring in idioms.

(b) Proper names which have the same form in both languages and are explained in the text or in notes, as well as names that admit of easy identification.

(c) Adjectives ending in −*ísimo*, as well as all adjectives used as adverbs and adverbs in −*mente* regularly formed from adjectives.

(d) Past participles ending in −*ado* and −*ido*, when used as adjectives, unless they appear with special meanings.

(e) Certain elementary parts of speech (articles, auxiliary verb forms, pronouns, etc.) which the beginning student learns early and uses frequently, unless they occur in special combinations.

2. The following abbreviations are used:

adj. adjective; *adv.* adverb; *conj.* conjunction; *contr.* contrary; *demons.* demonstrative; *f.* feminine; *inf.* infinitive; *interrog.* interrogative; *m.* masculine; *n.* noun; *neg.* negative; *neut.* neuter; *pl.* plural; *p.p.* past participle; *pres. part.* present participle; *prep.* preposition; *pron.* pronoun; *rel.* relative; *syn.* synonym; *v.* verb.

VOCABULARY

A

a to, at; in; about; for; — **la hora** after one hour

abajo down, below, downstairs; **de arriba —,** from head to foot; *contr.* **arriba**

abandonar to leave behind, abandon

abierto, –a open, opened

abrazar to embrace, hug

abrir to open; **—se** open; *contr.* **cerrar**

absoluto, –a absolute; complete; *syn.* **completo**

el **abuelo** grandfather; los **abuelos** ancestors

abundante abundant, plenty (of); *contr.* **escaso**

acá here; *syn.* **aquí**

acabar to finish, end, conclude; **— con** kill off, put an end to, destroy; **— de** + *inf.* have just + *p.p.*; **— por** + *inf.* to end by + *pres. part.*; *syn.* **empezar**; *contr.* **terminar**

acariciar to caress; stroke

acaso perhaps, maybe; by chance

el **acento** accent; *syn.* el **tono**

aceptar to accept; *contr.* **rechazar**; *syn.* **recibir**

acercarse (a) to approach, come near; *contr.* **alejarse**

acompañado, –a (de) accompanied (by); *contr.* **solo**

acompañar to accompany; take with

aconsejar to advise, warn

acordarse (ue) (de) to remember; *syn.* **recordar**

acostado, –a in bed, lying

acostarse (ue) to go to bed, lie down; *contr.* **levantarse**

acostumbrar to accustom, get used to

la **actitud** attitude

el **acto** act; **en el —,** at once

acudir to run to, hasten

el **acusado** guilty one, defendant

acusar to accuse; *contr.* **defender**

adelante forward; ¡ **—!** come in! **de —,** front, fore; **de ahora en —,** from now on

además besides, moreover

adivinar to guess

admirado, –a surprised

el **admirador** admirer

admitir to admit, grant, concede; *syn.* **confesar**

adonde where, whereto

adquirir to acquire; *contr.* **perder**; *syn.* **obtener**

el **adversario** opponent, enemy

advertir (ie) to warn

afirmar to affirm, assert

el **agente** agent

agitar to agitate, excite

la **agonía** agony

agradar to please, gratify, like; *syn.* **gustar**; *contr.* **molestar**

agradecer (zc) to be grateful, be thankful

agregar to add

la **agricultura** agriculture

agrio, –a bitter, sour; *contr.* dulce

el **agua** *f.* water

aguardar to wait; *syn.* esperar

agudo, –a sharp

ahí there; *contr.* aquí

ahogarse to choke; *contr.* respirar

ahora now; — **bien** now then, well then; — **mismo** right now; — **vamos** come now; **de** — **en adelante** from now on; **desde** —, from now on; **por** —, at present, right now; *contr.* entonces, después; *syn.* ya

el **aire** air; **corriente de** —, draught

al = a + el to the; — **+** *inf.* upon, on + *pres. part.*

alabar to praise; —**se** praise oneself

Albacete *city in southeast Spain*

la **aldea** village, town

alegrarse to cheer up; — **de** be glad + *inf.* to

alegre cheerful, glad, happy; *contr.* **triste, serio**; *syn.* **contento**

la **alegría** joy, gayety; *contr.* el dolor

alejarse to go (away), go off; *contr.* acercarse

algo something; anything; — **de comer** something to eat; *contr.* **nada**

alguien somebody, someone; *contr.* **nadie**

alguno, –a (algún) some, any; anybody, anyone; *pl.* some, a few, several; *contr.* **ninguno**

el **alivio** relief

alquilar to rent

alrededor de around

los **alrededores** suburbs

alto, –a tall; high; **en** —**a voz** out loud; *contr.* **bajo**

la **altura** height; promontory

el **alumno** pupil, disciple; *syn.* el **discípulo**

alzar to raise, lift up; heave; *syn.* **levantar**

allí there, over there; *contr.* **aquí, acá**

la **amabilidad** amiability, affability, courtesy

amante de fond of; *syn.* **amigo de**

amar to love; *contr.* **odiar**

amarillo, –a yellow

ambos, –as both

americano, –a American, of the United States

amigo, — **de** fond of; *syn.* **amante de**

el **amigo,** la **amiga** friend; **hacerse** —, to become a friend; *contr.* el **enemigo**

el **amo,** la **ama** owner, master; *syn.* el **dueño**

el **amor** love

anciano, –a old

el **anciano,** la **anciana** old man, old lady

ancho, –a broad, wide

andaluz, –a Andalusian, inhabitant of Andalusia

andar to walk, go; *syn.*
caminar, marchar

el **animal** animal, beast

animarse to cheer up

anoche last night

ansioso, –a anxious

ante *prep.* before (*place*), in
the presence of; — **todo**
above all; *syn.* **delante de;**
contr. **tras**

anterior before, latter; *contr.*
siguiente

antes *adv.* before; **antes de**
prep. before (*time*); — (**de**)
que *conj.* before; *contr.* **des-**
pués de, luego

antiguo, –a old; *syn.* **viejo**

Antonio Anthony

anunciar to announce, tell

añadir to add

el **año** year

aparecer(se) (zc) to appear

la **apariencia** appearance; *syn.*
el **aspecto**

apenas hardly, scarcely; as
soon as

el **apetito** appetite

apostar (ue) to bet, wager;
apuesto a que I bet

apreciar to appreciate

aprender to learn

apretar (ie) to press, grasp,
hold tight

aprisa fast, quick; *contr.*
despacio

aprovechar to take advantage of; —**se de** take advantage of

aquel, –la (*pl.* **aquellos, –as**)
that; those

aquí here; — **tiene usted**
here is; *contr.* **ahí, allí;**
syn. **acá**

el **árbol** tree

ardiente ardent, burning,
glowing, red-hot

argentino, –a silvery

el **arma** *f.* arms, weapon

armonioso, –a harmonious,
sonorous

arrastrar to drag

arreglar to arrange; settle, fix

arrepentirse (ie) to repent,
be penitent

arriba above; upstairs; up;
de — abajo from head to
foot; *contr.* **abajo**

arrojar to throw; —**se** throw
oneself; *syn.* **tirarse**

arruinar to ruin

el **arte** art; **obra de —**, masterpiece

el **artista** artist

asaltar to assault, hold up

asegurar to assure; —**se** be
sure

así so, thus, like this; that
is how; — **es que = por**
eso for that reason; —**pues**
so then

el **asiento** seat; *syn.* el **puesto**

el **asistente** assistant

asistir to attend, be present
at; assist

asombrar to astonish

el **asombro** astonishment, won-
der

el **aspecto** aspect, appearance,
looks; *syn.* la **apariencia**

asturiano, –a Asturian (*from*
a region in the north of
Spain)

el **asunto** matter, affair, subject,
business; *syn.* el **caso,** la
cuestión

asustar to frighten, scare

atacar to attack
atar to tie, knot
la **atención** attention, care; *syn.* el **cuidado**
atento, –a attentive
atraer to attract, collect; call
atrás (de) behind; back; hind; **volverse —,** to turn back
atreverse (a) to dare
atrevido, –a daring, bold
aumentar to increase, augment; *contr.* **disminuír**
aun (aún) yet, even, still; *syn.* **hasta, siquiera**
aunque although, even if
el **autor** author; *syn.* el **escritor**
avaro, –a stingy; *contr.* **generoso**
el **avaro** miser
la **aventura** adventure, undertaking, venture
averiguar to find out; ascertain
avisar to inform, advise, notify
ayer yesterday
la **ayuda** help, aid; *syn.* el **socorro**
ayudar to help

B

bajar to go down; alight; take down; bring down; pull down; lower; come down; dismount; **— de** get off; *contr.* **levantar, subir**
bajo under; *syn.* **debajo de;** *contr.* **sobre**
bajo, –a low; *contr.* **alto**

el **banco** bench
el **bandido** bandit, **thief**
el **banquete** banquet
bañar to bathe
barato, –a cheap; *contr.* **caro**
la **barba** beard
el **barbero** barber
Barcelona *important city and port in the northeast of Spain*
¡ **basta** ! stop !
bastante enough; quite; plenty
bastar to be enough
bello, –a beautiful; *syn.* **hermoso;** *contr.* **feo**
bendecir to bless
la **bendición** benediction
besar to kiss
bien *adv.* well; very; **ahora —,** now then, well then; **está —,** all right; **más —,** rather; **pues —,** well then, all right then; **quedar —,** to fit well, look well on; *contr.* **mal**
el **bien** goodness, benefit, good deed, good turn, welfare; **hacer —,** to do good deeds; **hacer mucho —,** do a great deal of good
la **bienvenida** welcome; **dar la —,** to welcome
el **billete** ticket; bank note, bill; **— entero** through ticket, whole fare
el **bistec** (*pl.* **–ques**) beefsteak steak
blanco, –a white; *syn.* **pálido;** *contr.* **negro**
la **boca** mouth
la **bofetada** slap
la **bolsa** bag, handbag, purse

el **bolsillo** pocket

la **bondad** kindness, goodness; **tener la — de** + *inf.* to be good enough to + *inf.*; **tenga la — (de)** = **hágame el favor (de)** please; *contr.* la **maldad**

bonito, -a pretty; *contr.* **feo**

el **bosque** woods, forest

la **botella** bottle

la **botica** drugstore, pharmacy; *syn.* la **farmacia**

el **boticario** druggist, pharmacist

el **brazo** arm

brillante brilliant, shining, sparkling

la **broma** joke; **dar —s a** to play jokes on

bueno, -a (buen) good; **—os días** good morning; *contr.* **malo**

burlarse (de) to make fun (of), joke, poke fun at

la **busca** search; **en — de** in search of

buscar to look for; fetch; get; **mandar a — = mandar a llamar** send for; *contr.* **encontrar**

C

el **caballero** gentleman, sir; cavalier; nobleman; *syn.* el **señor**

el **caballo** horse; **a —,** on horseback

el **cabello** hair; *syn.* el **pelo**

caber to fit

la **cabeza** head; **de pies a —,** from head to foot; **perder la —,** to lose one's head; **cortar la —,** behead

cada each, every; **-- vez más** more and more

el **cadáver** the corpse; *syn.* el **muerto**

caer to fall; drop; **dejar —,** drop; **—se** fall

la **caída** fall; **— del sol** setting of sun

la **caja** box; **— fuerte** safe

calcular to calculate, estimate, figure

el **cálculo** calculation; conjecture; **hacer —s** to figure

la **calidad** quality

caliente warm; *contr.* **frío**

la **calma** calm; **con toda —,** quite calmly; *syn.* la **paciencia**, la **paz**, la **tranquilidad**; *contr.* la **inquietud**

calmarse to be calm, quiet down

el **calor** heat; *contr.* el **frío**

callar to be silent, keep quiet; **—se** be silent; **¡ cállese !** keep quiet! *contr.* **conversar**

la **calle** street

la **cama** bed; **guardar —,** to stay in bed

el **camarero** waiter, steward; bellboy; *syn.* el **mozo**

cambiar (de) to change; *syn.* **variar**

el **cambio** change, exchange

caminar to walk; *syn.* **andar**; *contr.* **detenerse**

el **camino** road, way; *syn.* la **ruta**

la **campana** bell; **tocar una —,** to ring a bell

el **campesino** countryman, peasant

el **campo** country; field; **gente**

del —, country people; — de cultivo fields to cultivate

cansado, –a tired; *syn.* fatigado

cansar(se) to tire; —se de tire of, become tired

el cántaro bucket, pitcher; llover a —s to pour, rain cats and dogs, rain pitchforks

la cantidad quantity

la capa cape

capaz capable, apt, likely to

el capitán captain

el capricho whim, caprice

la cara face; *syn.* el rostro

¡ caramba ! heavens !

la cárcel jail

la carga load

cargar to charge

la caridad charity

cariñoso, –a loving, affectionate

la carne meat, flesh

el carnicero butcher

caro, –a dear, expensive; ¡ qué —! how dear ! *contr.* barato

el carpintero carpenter

la carrera career

la carta letter

la casa house; a — (towards) home; en — de at the home of; en —, home, at home; *syn.* la residencia

casi almost; nearly; — nunca very seldom, hardly ever

el caso case, matter; attention; hacer — de to pay attention, bother about; *syn.* el asunto

castellano, –a Spanish, Castilian; *syn.* español

el castigo punishment; *contr.* el perdón

Castilla Castile (*an old kingdom in Central Spain*)

catalán, catalana Catalan, inhabitant of Catalonia

la catedral cathedral

causar to cause

célebre celebrated, famous; *syn.* famoso

censurar to criticize

el centavo cent

el centro center, middle

cerca de near; about; *contr.* lejos, lejos de; *syn.* junto a

cercano, –a near-by; *contr.* lejano

la ceremonia ceremony

cerrar (ie) to close, shut; *contr.* abrir

cesar to cease; — de + *inf.* stop + *pres. part.*; *contr.* continuar

ciego, –a blind

el ciego blind man

el cielo sky; heaven; ¡ — santo ! heavens ! *contr.* el infierno

cien (ciento) a *or* one hundred

cierto, –a certain; *syn.* seguro

el cigarro cigar; *syn.* el tabaco

la circunstancia circumstance

la ciudad city

el ciudadano citizen

la claridad clearness, lightness; *contr.* la oscuridad

claro, –a clear; — es que = por supuesto of course; ¡ — está ! of course ! *syn.* evidente

la **clase** class; kind
el **cliente** client, customer
cobarde cowardly; *contr.* **valiente**
el **cobrador** collector
cobrar to collect; *contr.* **pagar, deber**
el **cobre** copper
cocer (ue) to cook
cocido, –a cooked; *contr.* **crudo**
la **cocina** kitchen
el **coche** coach, carriage, cart; *syn.* el **vagón**
coger (j) to catch, pick, seize, take, pick up, grasp, get; *syn.* **tomar**; *contr.* **soltar**
colgar (ue) to hang
colocar to place, put; *syn.* **poner**
el **collar** necklace
comenzar (ie) to begin, start; *contr.* **concluír, terminar**
comer to eat
cometer to do, make; commit
la **comida** meal, dinner
como as, like, since; — **nuevo** as good as new; — **siempre** as usual
¿ **cómo**? how? what?
cómodo, –a comfortable
el **compañero** companion; — **de viaje** traveling companion
la **compañía** company
la **compasión** pity; *syn.* la **piedad**
el **compatriota** fellow countryman, compatriot
compensar to compensate
complacer (zc) to please; *contr.* **molestar**

completo, –a whole, complete, entire; *syn.* **entero, absoluto**
el **comprador** buyer; *contr.* el **vendedor**
comprar to buy; *contr.* **vender**
comprender to understand; *syn.* **entender**
común common, usual; *contr.* **extraño**
comunicar to communicate, tell
con with; *contr.* **sin**
concluír to finish, end; *syn.* **terminar**; *contr.* **empezar, comenzar**
la **condición** condition; clause
conducir (zc) to lead, take, conduct, guide; *syn.* **llevar**
confesar (ie) to confess; hear confessions; —**se** go to confession; *syn.* **admitir**
la **confianza** confidence, trust
conmigo with me
conocer (zc) to know, be acquainted with; *syn.* **saber**; *contr.* **ignorar**
conque well then, so then
el **conquistador** conqueror
consagrar to consecrate
conseguir (i) to get, obtain
el **consejo** advice, suggestion
consistir (en) to consist (of)
consolar (ue) to comfort; —**se** resign oneself
construír to construct, build
contar (ue) to count; tell, relate
contemplar to look on; *syn.* **mirar**
contener to control, repress; contain, comprise; —**se** control oneself, refrain

contento, –a glad, happy, pleased, content; *syn.* **satisfecho, alegre;** *contr.* **triste**

la **contestación** answer; *syn.* la **respuesta**

contestar to answer, reply; *syn.* **responder;** *contr.* **preguntar**

continuar (ú) to continue, go on; — + *pres. part.* continue + *inf.* or *pres. part.;* *syn.* **seguir;** *contr.* **cesar, parar**

contra against; to

contrario, –a contrary; **al —,** or **por el —,** on the contrary; *syn.* **opuesto**

convencer to convince; **—se** be convinced, be sure, be assured

convenir to suit

la **conversación** conversation

conversar to converse, talk; *syn.* **hablar, charlar;** *contr.* **callar**

convertir (ie) to convert, change; **—se en** turn into, change into, become

copiar to copy; *syn.* **imitar**

el **corazón** heart

el **corral** yard

el **corredor** hall

correr to run

corresponder to belong

corriente current, usual, common; *contr.* **extraño**

la **corriente** draught; **— de aire** draught

cortar to cut, cut out; **— la cabeza a** behead

la **corte** court; courtroom

cortés courteous

la **cortesía** courtesy, politeness

corto, –a short; *contr.* **largo**

la **cosa** thing; *syn.* el **objeto**

costar (ue) to cost

el **costo** cost, price, value; *syn.* el **precio**

la **costumbre** custom, habit; **como de —,** as usual; *syn.* el **hábito**

crecer (zc) to grow (up)

creer to think, believe; **—se** believe oneself

el **criado,** la **criada** servant, manservant, maid; *syn.* el **sirviente**

el **crimen** crime; *syn.* el **delito**

crítico, –a critical

crudo, –a raw; *contr.* **cocido**

cruzar to cross

cual, –es (el, la, lo, los, las) *rel. pron.* who, which

¿ **cuál, –es?** *interrog. adj. and pron.* which? what? which one?

cualquier(a) *adj. or pron.* whoever, anyone; any

cuán how

cuando when

cuanto, –a as much; **—s** as many

¿ **cuánto, –a?** *adj. and pron.* how much? *pl.* how many? ¿ **— tiempo?** how long?

el **cuarto** room; the fourth part, a fourth, quarter; **hacía un — de hora** a quarter of an hour ago; *syn.* la **habitación**

cubierto covered; *syn.* **envuelto;** *contr.* **desnudo**

cubrir to cover; *syn.* **tapar, envolver;** *contr.* **descubrir**

el **cuchillo** knife

el **cuello** neck, throat

la **cuenta** bill; account; **darse
— de** to realize

el **cuento** tale, story

la **cuerda** rope, string, cord

el **cuero** leather

el **cuerpo** body

la **cuestión** question, matter;
syn. el **asunto**

la **cueva** cave

el **cuidado** care, attention; **perder —**, not to worry;
tener —, to be careful;
syn. la **atención**

cuidar to take care of; **—se**
take care of oneself

culpable guilty; *contr.* **inocente**

el **cultivo** cultivation

la **cultura** culture, refinement

cumplir to execute, carry out,
fulfill; *syn.* **mantener**

la **cuna** cradle, birthplace

la **cura** cure; treatment; *syn.*
el **remedio**

el **cura** priest

curar to cure; **—se** be cured;
recover; *contr.* **enfermar,
enfermarse**

curioso, –a curious, peculiar,
strange; inquisitive

cuyo, –a whose

Ch

la **chaqueta** coat, jacket

charlar to chat; *syn.* **conversar**

el **chico** boy, young fellow,
youngster

la **chimenea** chimney; fireplace

D

la **dama** lady, woman; *syn.* la
señora

el **daño** loss, damage, harm;
hacer — a to harm, damage, hurt; *syn.* el **mal**

dar to give; attribute; **—
bromas a** play jokes on;
— importancia a pay attention to; **— la bien-
venida** welcome; **— la
despedida** bid farewell; **—
las gracias a** thank, give
thanks; **— media vuelta**
turn around; **— saltos**
jump; **— un grito** utter a
cry; **— una bofetada** give
a slap; **—se cuenta de**
realize, imagine; **—se la
gran vida** live very well,
have the time of one's life;
syn. **entregar**; *contr.* **tomar, pedir, recibir**

de of, from, in, on, for, with,
than, about

debajo de under, beneath;
syn. **bajo**; *contr.* **encima
de, sobre**

deber must; (ought, should)
to have; owe, be in debt;
— + *inf.* have to + *inf.*;
debe de estar must be;
contr. **cobrar**

el **deber** duty, obligation; *syn.*
la **obligación**

debido, –a appropriate,
proper, due

débil weak; *contr.* **fuerte**

la **debilidad** weakness; *contr.* la
fuerza

decidido, –a decided, determined; *syn.* **resuelto**

decidir to decide; **—se a**
decide to; *syn.* **resolver,
resolverse**

decir to say, tell; **es —,** that

is to say, let us say; oír —, hear (it) said; querer —, mean; *p.p.* dicho: dicho y hecho no sooner said than done; *syn.* pronunciar

la **decisión** decision; *syn.* la resolución

declarar to declare, state, admit

el **dedo** finger

defender (ie) to defend; —se defend oneself, plead, argue; *contr.* acusar

dejar to leave; let, allow; drop; — caer drop; —se allow oneself; *syn.* permitir; *contr.* quitar

del = de + el of the, from the

delante front; — de in front of; before; por — de in front of; *syn.* frente a, ante; *contr.* detrás de

delicado, –a fine, delicate; sensitive

el **delito** crime, offense, fault; *syn.* el crimen

demás (*preceded by* lo, la, los, las) the rest, the other(s)

demasiado, –a too much, more than enough, too; very; *contr.* poco

el **demonio** demon, devil; del —, blessed; *syn.* el diablo

dentro de inside of; within; *contr.* fuera

el **departamento** compartment; department

el **derecho** right; tener el — de to have the right to

la **derrota** defeat; *contr.* el triunfo

desaparecer to disappear

desconocido, –a unknown; *contr.* famoso

descubrir to see, discover, discern; uncover; *contr.* cubrir

el **descuento** discount

desde from, since, since then; — ahora from now on; — entonces from then on; — luego = en seguida at once; — muy lejos from far away; *contr.* hasta, hacia

desear to desire, wish, want; *syn.* querer

el **deseo** wish

desesperado, –a desperate, in despair

la **desgracia** misfortune; por —, unfortunately; *contr.* la fortuna

desistir to desist, leave, stop; *contr.* insistir

desnudo, –a bare; *contr.* cubierto

desobedecer to disobey; *contr.* obedecer

despacio *adv.* slowly; *syn.* lento; *contr.* aprisa

la **despedida** good-by; dar la —, to bid farewell

despedirse (i) (de) to take leave (of), say good-by (to)

despertar (ie) to awake, awaken; —se wake up; *contr.* dormir, dormirse

despreciar to scorn; *contr.* estimar

después *adv.* afterwards, then; — de *prep.* after; *syn.* luego; *contr.* antes, ahora

el **detalle** detail; **todos los —s** every detail

detener(se) to stop; *contr.* **caminar**

detrás de behind, back of; *contr.* **frente a, delante de**

la **deuda** debt

devolver (ue) to return (*a thing*); give back, refund, restore; *contr.* **quitar**

devorar to devour

devoto, –a devout, pious; *syn.* **piadoso**

el **día** day; **al —**, a day, daily; **al — siguiente** on the following day; **a los tres —-s** after three days; **buenos —s** good morning; **todos los —s** every day; *contr.* la **noche**

el **diablo** devil; *syn.* el **demonio**

el **diario** newspaper; daily; *syn.* el **periódico**

la **dicha** joy, happiness; *syn.* la **felicidad**

Diego James

el **diente** tooth

diferente different; *syn.* **distinto**; *contr.* **igual**

difícil difficult, hard; *contr.* **fácil**

la **dificultad** difficulty; lurch; *contr.* la **facilidad**

difunto, –a defunct, dead

el **dinero** money

Dios *m.* God; **¡ por —!** for heaven's sake ! good heavens ! **¡ vive —!** bless me !

directamente directly, straight

el **director** manager; *syn.* el **jefe**

dirigirse (j) to address, speak

to; go, turn to; *syn.* **ir, marcharse**

el **discípulo** pupil; *syn.* el **alumno**

el **discurso** discourse, speech

la **discusión** discussion; argument

discutir to discuss; quarrel, argue

disfrutar (de) to enjoy

el **disgusto** discontent, displeasure; *contr.* el **gusto**

disminuír to diminish, lessen; *contr.* **aumentar**

disparar to fire, shoot; *syn.* **tirar**

dispensar to excuse, pardon; *syn.* **perdonar**

disponerse (a) to be ready (to)

dispuesto, –a ready; *syn.* **listo**

la **distancia** distance

distante distant, far; *syn.* **lejano**

distinguir to distinguish, set apart

distinto, –a different, dissimilar, unlike; *syn.* **diferente**

distraído, –a absent-minded

divertirse (ie) to amuse oneself, enjoy oneself, have a good time

dividir to divide; **—se** be divided

la **división** division; *syn.* el **reparto**

el **dólar** dollar; *syn.* el **duro,** el **peso**

el **dolor** pain; *contr.* la **alegría**

domesticarse to grow tame

dominar to overcome; **—se** control oneself

don, doña *titles used before first names*

donde where; **¿ dónde?** where?

dormir (ue) to sleep; **—se** fall asleep; *contr.* **despertar(se)**

la **duda** doubt; **sin —,** without doubt, doubtless

dudar to doubt

dudoso, –a doubtful; *contr.* **resuelto**

el **dueño, la dueña** owner, master; *syn.* **el amo**

dulce sweet; mellow, soft; *contr.* **agrio**

durante during

durar to last

duro, –a hard, harsh

el **duro** dollar; *syn.* **el dólar,** **el peso**

E

la **economía** economy, saving

economizar to economize, save

echar to throw, drop; **—se** lie (down)

la **edad** age

el **edificio** building

efectivamente certainly, actually, indeed

la **eficacia** effectiveness, efficacy

eficaz effective

ejecutar to carry out, execute, comply with

el **ejercicio** exercise

el *def. art.* the; **—** **de, la de** the one; **—** **que, la que** the one who

elegante elegant, graceful

embargo: sin —, however, nevertheless

emocionado, –a touched

empeñado, –a determined to, persisting

empezar (ie) to begin, start; *syn.* **principiar;** *contr.* **acabar, terminar, concluír**

el **empleado** employee, clerk

emplear to employ, use; *syn.* **usar**

la **empresa** enterprise

empujar to push

en on, in, into, at, of

el **enano** midget; *contr.* **el gigante**

encargar to order

encender (ie) to light

encendido, –a a glowing

encima on, over, on top; **—** **de** on top of; *syn.* **sobre;** *contr.* **debajo de**

encomendarse (ie) to commit oneself, surrender

encontrar (ue) to meet, find; **—se** **con** meet (with), come upon; *syn.* **hallar;** *contr.* **perder, buscar, esconder**

el **enemigo** enemy; *contr.* **el amigo**

la **energía** energy; determination; *syn.* **la fuerza**

enfermar to fall ill; **—se** become ill, fall sick; *contr.* **curar**

la **enfermedad** sickness, disease, illness; *contr.* **la salud**

enfermo, –a sick, ill; *n.m. and f.* the sick one, patient; *contr.* **sano**

el **enfermo** sick man; *syn.* **el paciente**

engañar to cheat, fool, deceive, trick; —se be mistaken, be fooled

enorme great, enormous, big, large; *contr.* pequeño

enseñar (a) to show; teach; *syn.* mostrar

entender (ie) to understand; *syn.* comprender

enterarse (de) to learn, find out

entero, –a entire, whole; el billete —, through ticket; *syn.* completo

enterrar (ie) to bury

entonces then; desde —, from then on; *syn.* luego; *contr.* ahora

la entrada entrance; stay; *contr.* la salida

entrar to enter, come in; — en enter into *or* in; *contr.* salir de

entre between, among

entregar to hand over, give (up), deliver; *syn.* dar; *contr.* recibir

entretanto meanwhile, in the meantime; *syn.* mientras tanto

enviar (í) to send; *syn.* mandar

envidiar to envy

envolver (ue) to wrap up

envuelto, –a wrapped up, covered; *syn.* cubierto

la epidemia epidemic

la época epoch, period, (space of) time; *syn.* el tiempo

equivocarse to be mistaken

el error error, mistake; estar en un —, to be mistaken

el erudito scholar, savant; *syn.* el sabio

la escalera stairs, stairway

escaparse to run away, escape; *syn.* huírse

escaso, –a scarce; *contr.* abundante

escocés, –esa Scotch

escoger (j) to select, choose

esconder to hide; —se hide oneself; *contr.* mostrar, encontrar

escribir to write

el escritor writer; *syn.* el autor

el escrúpulo scruple

escuchar to listen, hear; *syn.* oír

ese, –a (*pl.* esos, –as) *demons. adj.* that, those

ése, –a (*pl.* ésos, –as) *demons. pron.* that (one), those

el esfuerzo effort, endeavor

eso *neut. demons. pron.* that, that thing; a — de about (*of time*); nada de —, nothing like that; por —, for that reason, that's why

el espacio space

la espalda back

espantar to frighten

España *f.* Spain

español, –ola *adj. and n.* Spanish; Spaniard; el —, Spanish (*language*); *syn.* el castellano

la especialidad specialty

el espectáculo spectacle, show, play

el espejo mirror

la esperanza hope

esperar to wait for; hope; expect; hacer — a alguien make someone wait; *syn.* aguardar

espeso, –a thick; coarse
el espíritu spirit
espléndido, –a splendid, sumptuous; *syn.* magnífico
el esposo, la esposa husband, wife; *syn.* el marido, la mujer
establecer (zc) to set up
el establecimiento establishment
el establo stable
la estación station, depot; season
estar to be; debe de —, must be; está bien all right; — a las órdenes de be at one's service; — a punto de be about to; — de director = ser director be manager; — en un error be mistaken; — seguro de be sure of
la estatua statue
este, –a *demons. adj.* this
éste, –a *demons. pron.* this one; he; the latter
Esteban Stephen
estimar to esteem; *contr.* despreciar
el estómago stomach
la estrella star
el estudiante student
eterno, –a eternal, everlasting, constant
evidente evident, clear; *syn.* claro
evitar to avoid, help
exacto, –a exact, accurate, right
examinar to examine, look over
la excusa excuse; *syn.* el perdón
excusar to excuse, pardon; *syn.* perdonar

la existencia existence; living; *syn.* la vida
existir to exist, live; *syn.* vivir
el éxito success; tener —, to be successful; *syn.* el triunfo; *contr.* el fracaso
experto, –a expert, skillful
explicar to explain, give explanation; —se explain, understand, see
la expresión expression
exquisito, –a delicious
extender (ie) to extend, stretch out
el exterior the outside; *contr.* el interior
extraño, –a peculiar, strange; *contr.* corriente, común, familiar
extraordinario, –a extraordinary

F

fácil easy; *syn.* sencillo; *contr.* difícil
la facilidad facility, easiness; *contr.* la dificultad
falso, –a false; *contr.* verdadero
la falta lack
faltar to be missing, lack
la fama fame, reputation; tener — de to have the reputation of, be famous for
la familia family
familiar familiar; *contr.* extraño
famoso, –a famous; *syn.* célebre; *contr.* desconocido
la farmacia drugstore, pharmacy; *syn.* la botica

fatigado, -a fatigued, tired; *syn.* **cansado**

fatigar to tire; **—se** become tired; *syn.* **cansar(se)**

el **favor** favor; **hágame el —,** please; **por —,** please

la **fe** faith; intention; **de buena —,** honestly; **mala —,** bad faith

la **felicidad** happiness; *syn.* la **dicha**

Felipe Philip

feliz happy; *syn.* **dichoso;** *contr.* **infeliz**

feo, -a ugly; *contr.* **hermoso, bello, bonito**

la **fiebre** fever

fiel faithful, true; *syn.* **leal**

figurarse to imagine

fijarse en to notice, look carefully

fijo, -a fixed

la **fila** row; *syn.* la **línea**

el **fin** end; **al — = por —,** at last; **en —,** in short; *contr.* el **principio**

fingir (j) to feign, pretend; **—se** feign, pretend

firmar to sign

firme firm, hard, steady, tight; *syn.* **seguro**

flaco, -a thin; *contr.* **gordo**

la **flor** flower

la **fonda** inn; *syn.* la **posada**

el **forastero** stranger

la **forma** way, form; *syn.* la **manera**

formar to form, shape

la **fortuna** fortune; luck; **por —,** fortunately; *syn.* la **suerte;** *contr.* la **desgracia**

el **fracaso** failure; *contr.* el **éxito**

la **frase** sentence, phrase

frecuentado, -a frequented; busy; *contr.* **solitario**

la **frente** forehead; **el —,** front

frente a in front of, opposite to; **del —,** on the opposite side; *syn.* **delante de;** *contr.* **detrás de**

frío, -a cold; *contr.* **caliente**

el **frío** cold; **hacer —,** to be cold (*of weather*); *contr.* el **calor**

frito, -a fried

el **fruto** fruit; product; savings; *syn.* el **producto**

el **fuego** fire

fuera outside; *contr.* **dentro**

fuerte strong; loud; la **caja —,** safe; *contr.* **débil**

la **fuerza** strength, force; *syn.* la **energía;** *contr.* la **debilidad**

fumar to smoke

fundado, -a founded, settled

furioso, -a furious; vicious; *syn.* **violento, irritado**

el **futuro** future; *syn.* el **porvenir**

G

Galicia *a region in the north-western part of Spain*

gallego, -a Galician; *n.* inhabitant of Galicia

la **gana** inclination, desire; **de buena —,** willingly, gladly; **tener —s de** to wish, be desirous of

la **ganancia** earnings; winnings, gains; *contr.* la **pérdida**

ganar to earn; gain, win; **—(se) la vida** earn one's living; *contr.* **perder, gastar**

gastar to spend; *contr.* **ganar**

el **gasto** expense

el **gato** cat

general general, prevalent; **por regla —,** in general, as a rule

la **generosidad** generosity

generoso, –a generous; *contr.* **avaro**

la **gente** people; **— del campo** country people

el **gigante** giant; *contr.* el **enano**

el **golpe** blow

golpear to hit, strike; *syn.* **pegar**

gordo, –a fat; *contr.* **flaco**

la **gota** drop

gozar to enjoy; *contr.* **sufrir**

las **gracias** thanks; **dar las — (a)** to thank (someone for); **(muchas) —,** thank you (very much), thanks; **— a Dios** thank God

grande (gran) big, large, great; *contr.* **pequeño**

la **gratitud** gratitude

grave serious

gritar to shout, cry out

el **grito** cry, shout; **dar un —,** to utter a cry

el **grupo** group

guardar to keep, put away; **— cama** stay in bed

gustar to like; **— a** like; **me gusta comprar sombreros** I like to buy hats; **me gusta el sombrero** I like the hat; **me gustan los sombreros** I like hats; *syn.* **agradar**

el **gusto** pleasure; liking, taste; **con mucho —,** gladly, with great pleasure, quite will-ingly; **tener — en** to be glad to; *syn.* el **placer;** *contr.* el **disgusto**

H

haber to have (*used only as an auxiliary verb*); be; **— de** + *inf.* be to + *inf.*; **había** there was, there were; **había una vez** there was once; **hay** there is, there are; **hay que** + *inf.* it is necessary, one must

hábil clever, able, apt

la **habitación** room; *syn.* el **cuarto**

el **habitante** inhabitant

habitar to live, dwell

el **hábito** habit; suit, costume; *syn.* la **costumbre**

hablar to speak, talk; *syn.* **conversar**

hacer (*p. p.* **hecho**) to do, make, perform; **— +** *inf.* have (cause), make + *inf.*; **— +** *inf.* have + *past part.*; **— bien** do good deeds; **— cálculos** figure out; **— caso de (a)** pay attention to; **— daño** do harm, damage; **— el papel de** play the role of; **— frío** be cold; **— lo posible** do one's best; **— mucho bien** do a great deal of good; **— preguntas** ask questions; **— un buen negocio** put through a good deal; **— una visita** pay a visit; **— viajes** take trips; **hace dos años** for the past two years, for two years;

hace mucho frío it is very cold; **hace muchos años** many years ago; **hace tres días que trabajo** I have been working three days; **hacía un cuarto de hora** a quarter of an hour ago; **hágalo esperar** make him wait; **hágame el favor** please; **dicho y hecho** no sooner said than done; —**se** become; —**se amigo** become a friend; —**se el muerto** play dead

hacia towards; *contr.* **desde**

hallar to find; —**se** find oneself, be; *syn.* **encontrar;** *contr.* **perder**

el **hambre** *f.* hunger; **tener —,** to be hungry

hasta till, until, up to; even; *contr.* **desde;** *syn.* **aún**

helar (ie) to freeze; —**se** be frozen

la **herencia** inheritance; legacy

herir (ie) to wound; —**se** get hurt

el **hermano,** la **hermana** brother, sister

hermoso, -a beautiful, handsome; *syn.* **bello;** *contr.* **feo**

el **héroe** hero

el **hidalgo** nobleman; *syn.* el **noble**

el **hierro** iron

el **hijo,** la **hija** son, boy; daughter, girl; *m. pl.* children

la **historia** history, story

¡ **hola** ! hello !

el **hombre** man.; ¡ — ! man alive ! *syn.* el **individuo**

el **hombro** shoulder

la **honestidad** honesty; *syn.* la **honradez**

la **honradez** honesty; *syn.* la **honestidad**

honrado, -a honest

la **hora** hour; time; **a la —,** after one hour; **¿ a qué —?** at what time ? **era — de** it was time to

horrible horrible, terrible, awful; *syn.* **terrible**

hoy today

el **huésped** guest

huír to flee, run away; *syn.* **escapar**

humilde humble, meek, modest; *syn.* **modesto;** *contr.* **orgulloso**

el **humo** smoke

I

la **idea** idea, thought; **venir una — a** to get an idea; *syn.* el **pensamiento**

la **iglesia** church

ignorante ignorant; *contr.* **sabio**

ignorar to ignore; *contr.* **saber, conocer**

igual alike, equal; *contr.* **diferente**

iluminar to light

la **imaginación** imagination; mind

imaginar to imagine, fancy

imaginario, -a imaginary, fancied

imitar to imitate, copy; *syn.* **copiar**

la **importancia** importance; **dar — a** to pay attention to

importar to matter

imposible impossible; *contr.* **posible**

indicar to indicate, show; point out, suggest

la **indiferencia** indifference, unconcern, coldness; *contr.* el **interés**

indignado, –a angry, indignant

el **indio** Indian

el **individuo** fellow, person, individual; *syn.* la **persona,** el **hombre**

la **infancia** childhood; *contr.* la **vejez**

infeliz unfortunate, unhappy; *contr.* **feliz**

inferior inferior; *contr.* **superior**

el **infierno** hell; *contr.* el **cielo**

infinito, –a infinite, unbounded

el **informe** information, detail

el **ingenio** wit, cleverness

ingrato, –a ungrateful

injusto, –a unjust; *contr.* **justo**

inmediatamente immediately, at once

inocente innocent; *contr.* **culpable**

inofensivo, –a harmless, innocent

la **inquietud** uneasiness; *contr.* la **calma**

la **insistencia** persistence, determination, insistence

insistir to insist; — **en** insist on; *contr.* **desistir**

insoportable unbearable

inspirar to induce, inspire, cause

el **instante** instant, moment; *syn.* el **momento,** el **minuto**

instruír to instruct, teach

insultar to insult, offend; *syn.* **ofender**

el **insulto** insult, offense

la **inteligencia** intelligence, cleverness

inteligente intelligent, clever; *contr.* **torpe**

intenso, –a profound, intense

el **interés** interest; concern; *contr.* la **indiferencia**

interesarse to be interested

el **interior** inside, interior; *contr.* el **exterior**

interrumpir to interrupt

inútil useless; *contr.* **útil**

el **invierno** winter; *contr.* el **verano**

ir to go; — **a** + *inf.* be going to + *inf.*; **vamos a ver** let us see; **—se** go away; *syn.* **marchar(se), retirar(se), dirigir(se)**; *contr.* **volver**

la **ira** ire, anger

irritado, –a irritated, irate, angered; *syn.* **furioso**

irritarse to be irritated, be angered

J

jamás never; ever; *contr.* **siempre**

el **jefe** leader, manager, superior; *syn.* el **director**

José Joseph

joven young; el —, young man, youth; *contr.* **viejo**

la **joya** jewel

Juan John

el **juez** judge
jugar (ue) to play
el **juicio** sense, reason; judgment; **perder el —**, to lose one's mind
juntar to unite, join, put together, gather; *syn.* **reunir**
junto a near, next to; *syn.* **cerca de;** *contr.* **lejos de**
juntos, -as together; **todos —**, all together; *contr.* **separados**
justo, -a just, fair; *contr.* **injusto**

L

la *def. art.* the; **— de** the one; **— que** the one who, that which, the one which
el **lado** side; **de al —**, at his side; **poner a un —**, to put aside
el **ladrón**, la **ladrona** thief
la **lágrima** tear
lamentar to lament, moan; **—se** complain; *syn.* **quejar(se)**
lanzar to throw; **—se** dash, fling oneself, jump off
largo, -a long; *contr.* **corto**
la **lástima** pity; **es —**, it is a pity
latir to beat
lavar to wash, scrub
leal faithful; *syn.* **fiel**
la **lección** lesson
leer to read
la **legua** league
lejano, -a faraway, distant; *syn.* **distante;** *contr.* **cercano**
lejos far; **— de** far from:

desde (muy) —, from (very) far away; *contr.* **cerca de, junto a**
la **lengua** tongue
el **lenguaje** language
la **lentitud** slowness; *contr.* la **velocidad**
lento, -a slow; *syn.* **despacio;** *contr.* **rápido**
levantar to raise; **—se** get up; *syn.* **alzar;** *contr.* **bajar; sentar(se); acostar(se)**
leve light, on the surface; *contr.* **profundo**
la **ley** law
la **libertad** liberty, freedom
librar to free; **—se** free oneself
libre free; *contr.* **preso**
el **libro** book
la **limosna** alms; **pedir —**, to beg (alms)
limpiar to clean, scrub
lindo, -a pretty, beautiful
la **línea** row, line; *syn.* la **fila**
listo, -a clever, smart; ready; *n.* el **—**, the clever (one); *syn.* **vivo, dispuesto, preparado;** *contr.* **tonto**
lo that, it, him; **— que** that, what (that which)
el **lobo** wolf
loco, -a crazy, mad; *n.* el **—**, madman, lunatic; **volverse — = perder la razón** to become crazy, lose one's mind
la **lucha** struggle, battle
luchar to fight, struggle; *syn.* **pelear**
luego then; after, afterwards; soon; **desde— = inmedia-**

tamente at once; *syn.* después, entonces, pronto; *contr.* antes

el lugar place; town; en — de instead of; *syn.* el puesto, el sitio, la parte

Luis Louis

luminoso, –a luminous, shining, glowing

la luz (*pl.* luces) light

Ll

la llama flame

llamar to call, name; call out; knock; —se be called, be named; mandar — = mandar buscar send for; *syn.* nombrar, tocar

llegar to arrive, come, reach; — a arrive at, reach; — a ser become; *contr.* salir

lleno, –a full, filled; *contr.* vacío

llevar to take; lead; carry; have; *syn.* conducir

llorar to weep, cry; *contr.* reír

llover (ue) to rain; — a cántaros pour, rain cats and dogs, rain pitchforks

la lluvia rain

M

la madre mother

el maestro teacher, master; la obra maestra masterpiece

magnífico, –a fine, magnificent; *syn.* espléndido

la majestad majesty

mal badly; poorly; *n.* el —, harm, damage; *contr.* el bien; *syn.* el daño

la maldad wickedness; *contr.* la bondad

la maleta valise

la malicia malice, malignity, spite

malo, –a (mal) bad; *contr.* bueno

mandar to send; order, command; — llamar = — buscar send for; *syn.* enviar, ordenar; *contr.* recibir

la manera manner, way; means; de ninguna —, not at all; by no means; de tal —, in such a way; *syn.* la forma, el modo

la mano hand

mantener to support; *syn.* cumplir

la mañana morning; *adv.* tomorrow; (a) la — siguiente the following morning

el, la mar sea

marchar to walk; go; todo marcha muy bien everything is going very well; —se go, go off, leave, go away; *syn.* andar, ir(se), dirigir(se); *contr.* quedar(se)

el marido husband; *syn.* el esposo

mas but; *syn.* pero, sino

más more, most; — bien rather; — tarde later; a lo —, at the most; cada vez —, more and more; — vale it is better; lo —, the most; nada —, no more, nothing more; *contr.* menos

matar to kill; —se kill oneself

el **matemático** mathematician

mayor greater, greatest; older, oldest; *contr.* **menor**

la **medicina** medicine, remedy; *syn.* la **cura**, el **remedio**

el **médico** physician, doctor

la **medida** measure; step; **tomar —s** to take steps

medio, –a half; **a la —a noche** at midnight

el **medio** means

medir (i) to measure

meditar to meditate; *syn.* **pensar**

Méjico *m.* Mexico

mejor better; best; *contr.* **peor**

melodioso, –a melodious, musical

la **memoria** memory

mencionar to mention

menester necessary; *syn.* **necesario**

el **menor** youngest; *contr.* el **mayor**

menos less; **al (lo, por lo) —,** at least; **nada — que** none other than

la **mente** mind, imagination

la **mentira** lie, fib; *contr.* la **verdad**

menudo: a —, often

el **mercado** market (place)

la **mercancía** goods, merchandise

la **merced** mercy

merecer (zc) to deserve

el **mes** month

la **mesa** table

meter to put in; *syn.* **poner**; *contr.* **sacar**

el **método** method

el **miedo** fear, fright; **muerto de —,** scared to death; **tener —,** to be afraid; *syn.* el **temor**; *contr.* el **valor**

mientras while; **— tanto = entretanto** meanwhile

Miguel Michael

mil thousand

el **milagro** miracle

el **minuto** minute; **a los pocos —s** a few minutes later, after a few minutes; *syn.* el **instante**

la **mirada** glance, look

mirar to look (at); *syn.* **contemplar**

miserable miserable, bad, wretched; *syn.* **mísero**

la **misericordia** mercy, mercifulness

mísero, –a miserable, wretched; *syn.* **miserable**

el **misionero** missionary

mismo, –a same, self; **ahora —,** right now; **él —,** himself; **el diablo —,** the devil himself; **lo —,** the same

misterioso, –a mysterious

la **mitad** half; **a — de precio** at half price

modesto, –a modest, humble; *syn.* **humilde**

el **modo** way, manner; **de este —,** in this manner; **de — que** so that, so then; *syn.* la **manera**

el **molde** mold

molestar to bother, annoy; **—se** bother about; *contr.* **agradar**

la **molestia** trouble, bother

el **momento** moment; **de un — a otro** any moment; *syn.* el **instante**

el **monarca** monarch, king; *syn.*
el **rey**
la **moneda** coin
el **monje** monk
el **monstruo** monster
la **montaña** mountain
montar to mount; amount
to; *syn.* **subir**
morir (ue) to die; —se de
die of; *contr.* **nacer, vivir**
moro, –a *adj. and n.* Moor-
ish, Moor
el **mostrador** counter
mostrar (ue) to show; *syn.*
enseñar; *contr.* **esconder**
el **motivo** motive, purpose, object; *syn.* el **objeto,** la
razón
mover (ue) to move; touch
(*heart*); wag
el **movimiento** activity, com-
motion, movement
el **mozo** boy, waiter; *syn.* el
camarero
el **muchacho** boy
muchísimo, –a a great deal,
very much
mucho, –a a great deal of; *pl.*
many, a great many; *contr.*
poco
mudo, –a dumb, mute;
speechless, silent, quiet
la **muerte** death; *contr.* el **nacimiento**
muerto, –a *adj. and n.* dead;
—**as las dos** with the two
dead; **hacerse el** —, to
play dead; *syn.* el **cadáver**; *contr.* **vivo**
la **mujer** woman; wife; *syn.*
la **esposa**
multiplicar to multiply; increase

la **multitud** multitude, crowd
el **mundo** world; **todo el** —,
everybody (*syn.* **todos**);
syn. el **universo,** la **tierra**
el **músculo** muscle
muy very; quite

N

nacer (zc) to be born; *contr.*
morir
el **nacimiento** birth; *contr.* la
muerte
nada nothing; not . . . anything; — **de eso** nothing
like that; — **más** no more
than, nothing more; —
más que only; — **menos
que** none other than; *contr.*
todo, algo
nadie no one, nobody; (*with
neg.*) not anyone, not
anybody; — **más** nobody
else, no one else; *syn.*
ninguno; *contr.* **alguien**
natal natal, native
**naturalmente = por supuesto
= claro que = claro que
sí** naturally, of course
necesario, –a necessary; es-
sential; *syn.* **menester**
la **necesidad** necessity, need
necesitar to need; have to
necio, –a foolish, stupid; *syn.*
tonto
negligente negligent, careless
el **negocio** business; deal; **hacer**
—, to make a deal, put
through a deal
negro, –a black; *contr.*
blanco
nervioso, –a nervous
ni nor, not; — . . . —, neither
. . . nor

ninguno, -a (ningún) no, not one, not any; **de —a manera** not at all, by no means; **en —a parte** nowhere; *syn.* **nadie;** *contr.* **alguno**

el **niño** child, youngster

el **nivel** level

no no, not; **— más que** only; **— sólo . . . sino que** not only . . . but also

noble *adj. and n.* noble; *n.* el **—,** nobleman; *syn.* el **hidalgo**

la **noche** night; **a media —,** at midnight; **de la —,** in the (at) night; P.M.; **esta —,** tonight; **por (en) la —,** in the evening, at night; **toda la —,** all night, the whole night; *contr.* el **día**

Noé Noah

nombrar to name; **—se** be named; *syn.* **llamar**

el **nombre** name

el **norte** north; *contr.* el **sur**

notable remarkable

notar to note; observe; notice; *syn.* **observar**

el **notario** notary

la **noticia** news; *syn.* la **nueva**

nuestro, -a our; ours

la **nueva** news; *syn.* la **noticia**

nuevo, -a new; **como —,** as good as new; **de —,** again; *contr.* **viejo**

la **nuez** (*pl.* **nueces**) walnut

el **número** number

numeroso, -a numerous

nunca never; (*with neg.*) not . . . ever; **casi —,** very seldom, hardly ever; *contr.* **siempre**

O

o or

obedecer (zc) to obey; *contr.* **desobedecer**

el **obispo** bishop

el **objeto** object, thing; purpose, reason; *syn.* el **motivo,** la **cosa**

obligar to compel

la **obra** play; deed; work; **— de arte** masterpiece; *syn.* la **pieza**

el **obrero** workman, worker

observar to observe, note; *syn.* **notar**

el **obstáculo** obstacle, hindrance

obtener to obtain, get; *syn.* **adquirir**

la **ocasión** occasion; *syn.* la **oportunidad**

ocupar to occupy; **—se de** take care of, attend to

ocurrir to occur, happen

odiado, -a hated; *contr.* **querido**

odiar to hate; *contr.* **amar**

odioso, -a hateful

ofender to offend; **—se** be offended; *syn.* **insultar**

la **ofensa** offense, insult; *syn.* el **insulto**

el **oficial** official; assistant; helper

la **oficina** office

el **oficio** trade, occupation

ofrecer (zc) to offer, give

la **ofrenda** offering

el **oído** (the inner) ear, (sense of) hearing

oír to hear, listen; **— decir** hear (it) said; **—se** hear oneself; be heard; *syn.* **escuchar**

el **ojo** eye
 olvidar to forget; **—se de** forget; *contr.* **recordar**
operar to operate
oponerse to oppose
la **oportunidad** opportunity, occasion, chance; *syn.* la **ocasión**
opuesto, –a opposite; *syn.* **contrario**
la **oración** prayer
la **orden** order, command; **estar a las órdenes de** to be at one's service
 ordenar to order, command; *syn.* **mandar**
orgulloso, –a proud; *contr.* **humilde**
original original, odd; *syn.* **raro**
la **orilla** shore, bank of a river
el **oro** gold; **el Siglo de Oro** the Golden Age (*of Spanish literature, 1535–1681*)
la **oscuridad** darkness; *contr.* la **claridad**
el **oso** bear
 otro, –a other, another; **—a vez = de nuevo** again; **en (por) —a parte** some other place; **de —a manera** in any other way; otherwise; **de un momento a —,** any moment
la **oveja** sheep

P

Pablo Paul
la **paciencia** patience; **perder la —,** to lose one's patience; *syn.* la **calma**
el **paciente** patient; *syn.* el **enfermo**

pacífico, –a peaceful
Paco Frank
el **padre** father; priest
 pagar to pay (for); *contr.* **cobrar**
el **pago** payment, pay
el **país** country
la **palabra** word; **tomar la —,** to speak, take the floor
el **palacio** palace
 pálido, –a pale; **ponerse —,** to (become) pale; *syn.* **blanco**
el **palo** stick; blow with a stick
el **pan** bread; loaf
el **pañuelo** handkerchief
el **papel** paper; role; **hacer el —,** to play the role
 para *prep.* to, for, in order to; **¿ — qué?** why? for what (purpose)? **— sí** to oneself (himself)
el **paraguas** (*pl.* los **paraguas**) umbrella
 parar to stop; **—se** stop; *contr.* **continuar**
 parecer (**zc**) to appear, seem; **¿ no le parece?** don't you think so? **—se (a)** resemble
la **parte** part; portion; share; place; **en ninguna —,** nowhere; **de — de** from, on the part of; **en todas —s = por todas —s** everywhere; *syn.* el **lugar**
 particular particular, especial; strange
 partir to start; leave, depart; split, divide
el **pasaje** fare; **— entero** through ticket
el **pasajero** passenger; **tren de —s** passenger train

pasar to pass, go; happen; be the matter with; spend (*time*); slide; — **por delante** pass in front; **que pase** let him come in; *syn.* **suceder**

pasearse to take a walk; wander

el **paso** step; way; **a pocos —s** at a short distance; **a su —**, on his way

el **pastor** shepherd

la **pata** paw; leg

la **patata** potato

paternal fatherly

el **patio** inner court, yard

el **pavo** turkey

la **paz** peace; *syn.* la **calma**

el **pecado** sin

pecar to sin; transgress

el **pecho** chest

el **pedazo** piece, fragment, bit

pedir (i) to ask (for); — **excusas** excuse oneself; — **limosna** beg (alms); — **prestado** borrow; *contr.* **dar**; *syn.* **rogar**

pegar to strike, hit; *syn.* **golpear**

pelear to fight; *syn.* **luchar**

el **peligro** danger, risk; *syn.* el **riesgo**

el **pelo** hair; **tirarse del —**, to pull one's hair; *syn.* el **cabello**

penetrar to penetrate, enter

el **pensamiento** thought; *syn.* la **idea**

pensar (ie) to think; imagine; — **+** *inf.* intend (to); — **en** think of; *syn.* **meditar**

peor worse; **y lo — es (que)** and the worst of it is (that); *contr.* **mejor**

pequeño, –a small, little; *contr.* **grande, enorme**

perder (ie) to lose; get rid of; — **cuidado** not to worry; — **la cabeza** lose one's head; — **el juicio** lose one's mind; — **la paciencia** lose patience; — **la razón = volverse loco** become crazy, lose one's head; — **la vista** lose one's sight; —**se** get lost; *syn.* **adquirir**; *contr.* **encontrar, hallar, ganar**

la **pérdida** loss; *contr.* la **ganancia**

el **perdón** pardon, forgiveness, excuse; *syn.* la **excusa**; *contr.* el **castigo**, la **venganza**

perdonar to pardon, forgive, excuse; *syn.* **dispensar**

el **periódico** newspaper; *syn.* el **diario**

la **perla** pearl

el **permiso** permission

permitir to permit, allow; —**se** permit oneself, allow oneself; *syn.* **dejar**; *contr.* **prohibir**

pero but; *syn.* **mas, sino**

el **perro** dog

la **persona** person; *syn.* el **individuo**

el **personaje** personage; luminary, (important) person

pertenecer to belong

pesado, –a heavy; hard; trying

pesar to weigh

el **pesar** sorrow, regret; **a — de** in spite of

el **pescado** fish (*when caught*)

pescador fisherman

la **peseta** peseta, silver coin (*normally worth about 20 cents*)

el **peso** weight; dollar

petrificado, –a petrified, paralyzed, horrified

piadoso, –a pious; *syn.* devoto

el **pie** foot; **a** —, on foot; **de (en)** —, standing; **de —s a cabeza** from head to foot; *contr.* **sentado**

la **piedad** piety, mercy, pity; *syn.* la **compasión**

la **piedra** stone

la **piel** skin

la **pieza** play; *syn.* la **obra**

pintar to paint; describe

el **piso** floor

la **pistola** pistol

el **placer** pleasure; *syn.* el **gusto**

la **plata** silver

el **plato** dish

la **playa** beach, seashore

pobre poor; ¡ **pobre de Vd.** ! poor you!

el **pobre,** la **pobre** poor person, poor man, poor woman; beggar

la **pobreza** poverty; *contr.* la **riqueza**

poco, –a little; insufficient; *pl.* few; — **a** —, little by little, gradually, by and by; — **después** soon after; **a los —s minutos** in a few minutes; *contr.* **mucho, demasiado**

poder (ue) to be able, can; **no** — **más** not to be able to stand it any longer

el **poder** power

la **policía** police force; **el** —, policeman

poner to place, put, set; put in; — **a un lado** put aside; **—se** place oneself; put on; become; set (*of sun*); **—se a + *inf.*** begin to; **—se bueno** get well; **—se de rodillas** kneel; **—se pálido (rojo)** pale (blush); *syn.* **meter, colocar;** *contr.* **sacar, quitar**

por for, through, by, because, in, on; — **ahora** at present, right now; — **buena suerte** fortunately, luckily; ¡ **por Dios** ! for heaven's sake ! good heavens ! — **el contrario** on the contrary; — **eso** for that reason; — **(al) fin** at last; — **fortuna** fortunately; — **lo (al) menos** at least; — **lo visto** apparently; — **supuesto = naturalmente = claro es (que) = claro está** naturally, of course; — **supuesto que** of course

porque because; *syn.* **pues**

¿ **por qué** ? why ?

la **portezuela** door (*of a vehicle*)

el **porvenir** future; *syn.* el **futuro**

la **posada** inn; *syn.* la **fonda**

el **posadero** innkeeper

poseer to possess, have, own; *syn.* **tener**

posible possible; *contr.* **imposible**

la **posición** position; *syn.* la **situación**

positivo, –a positive, sure

práctico, –a practical

el **precio** price; **a mitad de —,**
at half price; *syn.* el **costo,**
el **valor**

precioso, –a precious: beautiful, gorgeous

preferir (ie) to prefer

la **pregunta** question; **hacer —s**
to ask questions; *contr.* la
respuesta

preguntar to ask (a question);
contr. **contestar**

el **premio** reward; *syn.* la **recompensa**

el **prendero** secondhand dealer

preocupado, –a worried

preocupar to worry; **—se de
(por)** worry about

preparado, –a ready; *syn.*
listo

preparar to prepare; **—se**
prepare (oneself); **—se
para** get ready to

la **presencia** presence

presenciar to be present, attend

presentarse to appear, present oneself

preso, –a caught; *contr.*
libre

el **preso** prisoner

prestar to lend; **pedir prestado** borrow

el **prestigio** prestige

primero, –a (primer) first;
el —, la —a the first;
contr. **último**

principiar to begin, start; *syn.*
empezar

el **principio** beginning; principle, element; **al —,** at
the beginning; *contr.* el **fin**

la **prisa** hurry, haste; **de —,**
hurriedly, quickly

la **privación** privation, absti-
nence; *syn.* el **sacrificio**

privado, –a private; **en —,**
privately; *contr.* **público**

privar to deprive

probar (ue) to try; prove;
test; **—se** try on

el **producto** product, fruit; *syn.*
el **fruto**

profundo, –a profound, deep;
contr. **leve**

progresar to progress, ad-
vance, improve

prohibir to forbid; not to be
allowed; *contr.* **permitir**

la **promesa** promise

prometer to promise

pronto soon; quickly; **de —
= de repente** suddenly, all
of a sudden; *syn.* **luego;**
contr. **tarde**

pronunciar to pronounce, say,
utter; *syn.* **decir**

la **propiedad** property

propio, –a own

proteger (j) to protect, guard,
defend

protestar to protest, complain

próximo, –a next, following;
syn. **siguiente**

la **prueba** proof

público, –a public; *contr.* **privado**

el **público** public, audience

el **pueblo** village, town; people

el **puente** bridge

la **puerta** door; **llamar a la —,**
to knock

pues then, well; for, since,
inasmuch as; because; **—
bien** well then, all right
then; **— claro = claro es**

(que) = **por supuesto** = naturalmente of course, naturally; **así —**, so then;
syn. **porque**
el **puesto** place, seat, position;
syn. el **lugar**, el **asiento**
la **punta** point, end
el **punto** point; **estar a —** de
to be about to; **en —**,
exactly (*of time*)
puro, –a pure; real, exact

Q

que who, which, that; whom;
for; how; than; **el —**,
the one who; **lo —**, what
= that which; how; **ya
—**, since, as long as
¿ **qué**? what? ¿ **— tal**? how?
¿ **para —**? what for? for
what (purpose)? ¿ **por —**?
why? what for? for what
(purpose)? ¡ **qué**! how!
what (a)!
quedar to remain; be left,
have left (over); **— bien a**
fit well, look well on; be;
— a be left over; turn out;
—se remain, stay, be;
contr. **marchar**(se)
quejarse to complain; moan;
syn. **lamentarse**
quemar to burn
querer to want, wish; love;
like, be fond of; **— decir**
mean; **—se** love one another; *syn.* **desear**
querido, –a dear, loved;
contr. **odiado**
quien, –es who, whom, he
who
¿ **quién, –es**? who? whom?

quinto, –a fifth; **el —, la —a**
the fifth
quitar to take away; take off;
steal; **— la vida a** take
the life of; **—se** take off;
—se la ropa undress; *contr.*
dejar, poner(se), **devolver**
quizá(s) perhaps

R

Rafael Ralph
la **rama** branch
la **rapidez** quickness, speed; *syn.*
la **velocidad**
rápido, –a quick, rapid, fast;
contr. **lento**
raro, –a rare; strange; scarce;
syn. **original**
el **rato** short time, a while
la **razón** reason, motive; sense;
argument; right; **perder
la —**, to become crazy,
lose one's head; **tener —**,
be right; *syn.* el **motivo**
real real; actual; royal
el **real** *Spanish coin worth about
five cents; formerly the
monetary unit of Spain,
worth about fifteen cents*
rebelarse to rebel, revolt
rebelde rebellious
la **receta** prescription
recibir to receive; *syn.* **aceptar**; *contr.* **mandar, dar.
entregar**
el **recibo** receipt
recién *adv.* recently
reclamar to claim, demand
recoger (j) to pick up
recomendar (ie) to recom-
mend; **—se** commend

la **recompensa** recompense, reward; *syn.* el **premio**

recompensar to reward

reconocer (**zc**) to recognize

recordar (**ue**) to remember, recall; remind; *syn.* **acordarse de**; *contr.* **olvidar**

recorrer to go through, go over; travel (over), cover

el **recuerdo** remembrance; souvenir; memory

rechazar to refuse; *contr.* **aceptar**

reformarse to reform

regalar to treat, present, give a present

el **regalo** present, gift

la **región** region

la **regla** rule; **por — general** in general, as a rule

regresar to return; *syn.* **volver**

el **reinado** reign

reinar to reign

el **reino** reign, kingdom

reír (**i**) to laugh; **—se de** laugh at; *contr.* **llorar**

religioso, –a religious

remediar to remedy, cure, relieve

el **remedio** remedy; **no hay (más) —**, it cannot be helped; *syn.* la **medicina**, la **cura**

rendirse (**i**) to surrender, give oneself up; *contr.* **triunfar**

reñir (**i**) to scold; quarrel

repartir to divide, distribute; *syn.* **dividir**

repente: de — = de pronto suddenly

repetir (**i**) to repeat

replicar to reply

representar to represent, act; play

el **reproche** reproach

la **residencia** residence; *syn.* la **casa**

residir to reside, live; *syn.* **vivir**

resistente resisting

la **resolución** resolution; decision, determination; *syn.* la **decisión**

resolver(se) (**ue**) to decide; solve; *syn.* **decidir(se)**

respetar to respect

el **respeto** respect

respetuoso, –a respectful

la **respiración** breathing; panting

respirar to breathe; *contr.* **ahogar(se)**

responder to answer; respond, reply; *syn.* **contestar**

la **respuesta** answer; *syn.* la **contestación**; *contr.* la **pregunta**

el **resto** rest, remainder

resuelto, –a determined, decided; *syn.* **decidido**; *contr.* **dudoso**

el **resultado** result

retirarse to withdraw, leave; *syn.* **irse**

reunir to gather; unite; **—se** join, get together; *syn.* **juntar**; *contr.* **separar**

la **reverencia** reverence; courtesy, bow

el **rey** king; *syn.* el **monarca**

rezar to pray

rico, –a delicious; rich; *n.* el **—**, the rich man

el **riesgo** danger, risk; *syn.* el **peligro**

el **rincón** corner

el **río** river

la **riqueza** wealth, riches; *contr.* la **pobreza**

la **risa** laughter

robar to rob, steal

el **robo** robbery, theft

rodear to surround

la **rodilla** knee; de —s on one's knees; **ponerse de** —s to kneel

rogar (ue) to beg; *syn.* **pedir**

rojo, –a red; **ponerse** —, to blush

romper to break

la **ropa** clothes; **quitarse la** —, to undress

el **rostro** face; *syn.* la **cara**

roto, –a broken

el **ruido** noise; *contr.* el **silencio**

la **ruta** way, road, route; *syn.* el **camino**

S

saber to know; — + *inf.* know how + *inf.*; *syn.* **conocer**; *contr.* **ignorar**

sabio, –a wise, clever; learned; *n.* man of learning, savant; *syn.* **erudito**; *contr.* **ignorante**

el **sabor** taste, flavor

sacar to draw out, remove, take out, get out; pull, pull out; *contr.* **poner, meter**

sacrificar to sacrifice

el **sacrificio** sacrifice; *syn.* la **privación**

la **sala** parlor, living room; hall; courtroom; ward

Salamanca *province and city of Spain famous for its university*

la **salida** departure, exit; outskirts; *contr.* la **entrada**

salir to go out, leave, come out; rise (*of sun*); — **de** leave, depart; *syn.* **partir**; *contr.* **llegar, entrar**

el **salón** hall, salon, parlor

saltar to jump

el **salto** jump; **dar** —s to jump

la **salud** health; *contr.* la **enfermedad**

saludar to greet

la **salvación** salvation; cure

salvaje savage, wild; ferocious

salvar to save; —**se** be saved, be out of danger; attain salvation

San *see* **santo**

la **sangre** blood

sano, –a cured, well, in good health; *contr.* **enfermo**

santo, –a saint; holy; el —, la —a saint

el **sastre** tailor

satisfecho, –a satisfied, happy; *syn.* **contento**

se *sign of the passive voice;* — **oye** is heard

la **sed** thirst; **tener** —, to be thirsty

seguida: en — = **inmediatamente** at once, immediately

seguir (i) to follow; continue; — + *pres. part.* continue + *pres. part.*; *syn.* **continuar**

según according to, in accordance with

segundo, –a second; el —, la —a the second

seguro, –a sure, certain, infallible; secure, safe, steady; **estar — de** to be sure of; *syn.* **cierto, firme**

la **semana** week; **a la —, todas las —s** every week

semejante such; similar, like

sencillo, –a easy; *syn.* **fácil**

sentado, –a seated; *contr.* **de pie**

sentarse (ie) to sit down; *contr.* **levantarse, pararse**

sentenciar to sentence

sentir (ie) to feel; be sorry, feel sorry (for); **— mucho** feel very sorry, be very sorry; **lo siento (mucho)** I am (very) sorry; **—se** feel

la **señal** sign

el **señor** gentleman; sir; Mr.; **el Señor** the Lord; **muy — mío** dear sir; *syn.* **caballero**

la **señora** lady; wife; *syn.* la **dama**

separado, –a separated, apart; *contr.* **juntos**

separar to separate; lay (put) aside; **—se (de)** be separated (from); go from; take leave; *contr.* **reunir**

ser to be; **— bueno con** be good to; **— (estar de) director** be the manager; **no — más que** be only; **por —,** on account of being; **era hora** it was time; **es lástima** it is a pity

serio, –a serious; **en —,** seriously; *contr.* **alegre**

el **servicio** service

servir (i) to serve; **— de** act

as, serve as; **— para** be good for; **¿ en qué puedo — a Vd. ?** what can I do for you ?

severo, –a harsh, stern, severe

Sevilla Seville (*city in the south of Spain*)

si if, whether

sí yes, indeed; oneself

siempre always; ever; **como — = como de costumbre** as always, as usual; *contr.* **nunca; jamás**

el **siglo** century; **— de Oro** Golden Age (*of Spanish literature, 1535–1681*)

el **signo** sign, signal

siguiente following, next; **al día —,** on the following day; **(a) la mañana —,** the following morning; *syn.* **próximo;** *contr.* **anterior**

el **silencio** silence; *contr.* el **ruido**

la **silueta** silhouette

la **silla** chair

el **símbolo** sign, symbol

sin *prep.* without; *conj.* **— que** without; **— embargo** however, nevertheless; *contr.* **con**

singular singular, strange, peculiar, rare

sino but; except; besides; **no . . . —,** only, solely; **no sólo . . . —,** not only . . . but also; *syn.* **pero**

siquiera even; at least; **ni —,** not even; *syn.* **aun**

el, la **sirviente** servant; *syn.* el **criado**

el **sitio** location, place; *syn.* el **lugar**

la **situación** situation; condition, circumstances; *syn.* la **posición**

situado, –a situated, located

sobrar to be left over

sobre upon, on, over, above; about; — **todo** especially; *syn.* **encima de;** *contr.* **bajo, debajo de**

sobremanera greatly, extremely, excessively

el **sobretodo** overcoat

el **sobrino** nephew

el **socio** partner

el **socorro** succor, aid; *syn.* la **ayuda**

el **sofá** sofa, couch

el **sol** sun; **caída del —,** setting of sun; **salir el —,** to rise (*of sun*)

solamente only, merely; *syn.* **sólo**

solitario, –a lonely, deserted; *contr.* **frecuentado**

solo, –a single, only, one, alone; *syn.* **único;** *contr.* **acompañado**

sólo *adv.* only, solely; **no — sino (que)** not only ... but also; *syn.* **solamente**

soltar (ue) to let go; *contr.* **coger, sostener**

la **sombra** shadow; shade; darkness; **a la —,** in the shade

el **sombrero** hat

sonar (ue) to sound

el **sonido** sound

sonoro, –a sonorous, resounding, ringing, high-sounding

sonreír(se) (i) to smile

la **sonrisa** smile

soplar to blow

sorprender to surprise; **—se** be surprised

la **sorpresa** surprise

la **sospecha** suspicion

sospechar to suspect; conjecture

sostener to support, hold, hold on, grasp; *contr.* **soltar**

subir (a) to go up; get into; climb into; mount; *syn.* **montar;** *contr.* **bajar**

suceder to happen, pass; *syn.* **pasar**

el **sudor** perspiration, sweat

el **suelo** floor; ground

el **sueño** sleep; dream

la **suerte** luck; **por buena —,** fortunately, luckily; **¡ qué buena — la mía !** what good luck for me ! *syn.* la **fortuna**

sufrir to suffer; **— del corazón** have heart trouble; **ya no puedo — más** I cannot stand it any longer; *contr.* **gozar**

suicidarse to kill oneself, commit suicide

el **suicidio** suicide

sujetar to grasp, hold fast; **—se** fasten oneself, hold on

la **superficie** surface

superior superior, better; *contr.* **inferior**

supuesto, –a supposed, pretended, so-called, assumed; **por —,** of course

sur south; *contr.* **norte**

el **suspiro** sigh

T

el **tabaco** tobacco; *syn.* el **cigarro**

tal such, so, such a; ¿ **qué
— ?** how? **un —,** a certain
(person); **— vez** perhaps;
de — manera in such a
way
el **talento** talent
también also, too; *contr.*
tampoco
tampoco neither, not ...
either; *contr.* **también**
tan as, so; **— ... como** as
... as
tanto, –a so much; *pl.* so
many; **— tiempo** such a
long time
tapar to cover; *syn.* **cubrir**
la **taquilla** ticket booth, wicket
la **tarde** afternoon; **de la —,**
in the afternoon; P.M.;
por la —, in the afternoon;
a las cuatro de la —, at
four o'clock in the afternoon
tarde late; **más —,** later;
contr. **pronto, temprano**
la **tarjeta** card
el **teatro** theater
temblar (**ie**) to tremble,
shake
el **temor** fear; *syn.* el **miedo**
temprano early; *contr.* **tarde**
tender (**ie**) to extend
el **tenedor** fork
tener to have; **— ... años**
be ... years old; **— cuidado de** be careful; **— el
derecho** have the right to;
— éxito be successful; **—
fama de** have the reputation, be famous for; **—
ganas de** wish, be desirous
of; **— gusto en** be glad to;
— la bondad de + *inf.* be

good enough to **+** *inf.*; **—
hambre** be hungry; **—
miedo a** be afraid of; **—
que** have to; **— razón** be
right; **— sed** be thirsty;
aquí tiene Vd. here (it) is;
no tengo nada más que I
have only; **tenga la bondad
(de) = hágame el favor**
please; *syn.* **poseer**
tercero, –a third; **el —, la
—a** the third
terminar to end, finish; **—
de +** *inf.* to stop **+** *pres.
part.; syn.* **acabar, concluír;**
contr. **empezar, comenzar**
el **término** end, finish
terrible terrible, horrible, awful; *syn.* **horrible**
el **territorio** territory
el **tesoro** treasure; fortune
el **testamento** testament, will
el **tiempo** time; weather; **a —,**
on time; **¿ cuánto —?**
how long? **tanto —,** such
a long time
la **tienda** store, shop
la **tierra** earth; *syn.* el **mundo**
el **tío** uncle
tirar to throw; shoot; **—se
del pelo** pull one's hair; *syn.*
disparar, arrojar(se)
el **tiro** shot
tocar to touch; play (*an instrument*); knock (*at a
door*); **— a** be one's share;
— una campana ring a bell;
syn. **llamar**
todavía yet, still; even; *syn.*
aún
todo, –a all, whole, every;
—s everyone, all; **—s
juntos** all together; **— el**

+ *noun* all, the whole, every; **— el mundo** everybody; **—s los (las)** each, all, every; **—s los días** every day; **—a la noche** all night; **—as las estaciones = cada estación** every station; **ante —,** above all; **—s los detalles** every detail; **en —as partes = por —as partes** everywhere; **con —a calma** quite calmly; *contr.* **nada**

tomar to take; drink; **— la palabra** take the floor, speak; **— medidas** take steps; *syn.* **coger;** *contr.* **dar**

el **tono** tone; intonation; *syn.* el **acento**

la **tontería** nonsense

tonto, —a silly, foolish; *n.* el **—,** fool; *contr.* **listo, vivo;** *syn.* **necio**

torpe dull, stupid; *contr.* **inteligente**

la **torre** tower

la **tortura** torture, execution

el **trabajador** worker

trabajar to work

el **trabajo** work; task; job

traer to bring

la **tragedia** tragedy

el **traje** dress, suit (*of clothes*)

la **tranquilidad** quiet, peace; *syn.* la **calma**

tranquilo, —a quiet, calm

el **tranvía** streetcar

tras behind, after; *contr.* **ante**

tratar (de) to try to; treat (of); deal (with); **—se de** be a question of; treat

través: a — de across

trece (13) thirteen

el **tren** train; **— ómnibus** local train; **— de pasajeros** passenger train

triste sad; *contr.* **alegre, contento**

la **tristeza** sadness

triunfar to triumph; *contr.* **rendirse**

el **triunfo** triumph, conquest; *syn.* el **éxito;** *contr.* la **derrota**

el **tronco** trunk

el **trono** throne

el **turno** turn

U

último, —a last; *contr.* **primero**

único, —a only; **lo —,** the only thing, sole; *syn.* **solo**

unir to join; **—se** join; *contr.* **separar(se)**

la **universidad** university

el **universo** universe, the world; *syn.* el **mundo**

un(o), —a one, a, an; *pl.* some, any, a few

usar to use, employ; *syn.* **emplear**

la **usura** usury

útil useful; *contr.* **inútil**

V

la **vaca** cow

vacío, —a empty; *contr.* **lleno**

el **vagón** coach, carriage, wagon; *syn.* el **coche**

valer to be worth; **más vale** it is better

valiente valiant, brave, courageous; *contr.* **cobarde**

el **valor** bravery, courage; value, cost; *syn.* el **precio**; *contr.* el **miedo**

el **valle** valley

vano, –a vain, futile; **en —,** in vain

variar (í) to change, vary; *syn.* **cambiar**

varios, –as several, various

vasco, –a Basque

el **vaso** glass

vecino, –a neighboring, next; la **casa —a** the house next door

el **vecino,** la **vecina** neighbor

la **vejez** old age; *contr.* la **infancia**

la **velocidad** velocity, speed; *syn.* la **rapidez**; *contr.* la **lentitud**

la **vena** vein

vencer (z) to conquer, win

el **vendedor** vender, salesman, dealer; **— de billetes** ticket seller; *contr.* el **comprador**

vender to sell; *contr.* **comprar**

la **venganza** vengeance; *contr.* el **perdón**

vengarse to avenge, get even with

venir to come; **— una idea a** get an idea

la **venta** sale

la **ventana** window

el **ventrílocuo** ventriloquist

ver to see; **vamos a —,** let us see; **por lo visto** apparently; **—se** find oneself; *syn.* **mirar**

el **verano** summer; *contr.* el **invierno**

veras: de —, really

la **verdad** truth; **en —,** indeed, really; **¿ no es —? = ¿ no es así?** is it not true? is it not so? **ser —,** to be true; *contr.* la **mentira**

verdadero, –a true, real, genuine

la **vergüenza** shame

el **vestíbulo** hall

vestir (i) to dress; **vestido de** dressed as

la **vez** (*pl.* **veces**) time; **a veces = algunas veces** sometimes; **a la —,** at the same time; **a su —,** in his turn; **cada — más** more and more; **dos veces** twice; **en — de** instead of; **otra — = de nuevo** again; **rara —,** very seldom, hardly ever; **tal —,** perhaps; **una —,** once

la **vía** way, highway; track

viajar to travel

el **viaje** trip; **hacer —s** to take trips

el **viajero** traveler

la **víctima** victim

la **vida** life; living; **quitar la — a** to take the life of; *syn.* la **existencia**

viejo, –a old; *syn.* **antiguo**; *contr.* **nuevo**

el **viejo,** la **vieja** old man, old woman; *contr.* **joven**

el **viento** wind

el **vinagre** vinegar; **de —,** sour

el **vino** wine

la **violencia** violence; **con —,** with a bang; forcibly

violento, –a violent, vicious, furious; *syn.* **furioso**

la **Virgen** Virgin

el **virrey** viceroy

la **visita** visit; **hacer una —,** to pay a visit, inspect

el **visitante** visitor, caller

visitar to visit, call on

la **vista** sight; **perder la —,** to lose one's sight

vivir to live, reside; *n.* el **vivir** living; *syn.* **existir, residir**; *contr.* **morir**

vivo, –a alive; clever; bright, lively; *syn.* **listo;** *contr.* **tonto, muerto**

volver (ue) to return, turn, go back, come back; **— a sentarse** sit down again; **— a dar** give again; **— loco a** make someone crazy; **—se** become, turn; **—se atrás** turn back; turn backwards; **—se loco = perder la razón** become crazy, lose one's mind; *syn.* **regresar;** *contr.* **ir**

la **voz** (*pl.* **voces**) voice; **en alta —,** out loud

la **vuelta** turn; return

Y

y and

ya already; soon, now; **— no** no longer, not any more; **— que** since, so far as, as long as; **yo — no puedo sufrir más** I cannot stand it any longer; *syn.* **ahora**

Z

el **zapatero** shoemaker

el **zapato** shoe